BRUGUERA LIBRO AMIGO

PARA VIVIR AQUI

JUAN GOYTISOLO

PARA VIVIR AQUI

BRUGUERA

1.ª edición: setiembre, 1977
2.ª edición: setiembre, 1979
3.ª edición: octubre, 1983
La presente edición es propiedad de Editorial Bruguera, S. A.
Camps y Fabrés, 5. Barcelona (España)
© Juan Goytisolo - 1961
Diseño de cubierta: Mario Eskenazi

Printed in Spain
ISBN 84-02-05288-6 / Depósito legal: B. 34.551 - 1983
Impreso en los Talleres Gráficos de Editorial Bruguera, S. A.
Carretera Nacional 152, km 21,650. Parets del Vallès (Barcelona) - 1983

CARA Y CRUZ

A media tarde me habían telefoneado desde el cuartel para decirme que el martes entraba de guardia. Tenía por lo tanto tres días libres. Mi primera idea fue llamar a Borés, que acababa de cumplir la semana en el cuartel de Pedralbes.

—Mi viejo se ha largado a Madrid y ha olvidado las llaves del auto.

—Hace dos noches que no pego un ojo —me contestó.

—¿Putas? —dije.

—Chinches. Toda la Residencia de Oficiales está infestada.

Cuando llegué a la cafetería, me esperaba ya. Estaba algo más blanco que de costumbre y me mostró las señales del cuello.

—Lo que es esta vez no son mordiscos.

—¿Qué dice tu madre? —pregunté yo.

Borés vació su ginfís de un trago.

—Desde que empecé el servicio anda más tranquila.

Manolo se acercó a servirnos con una servilleta doblada sobre el brazo.

—¿Qué piensa de toda esta gresca, don Rafael?

Con un ademán, indicó la cadena de altavoces encaramados en los árboles y los escudos que brillaban en los balcones de las casas.

—Turismo —repuse—. El costo de la vida sube, y de algún modo deben sacar los cuartos.

—Eso mismo me digo yo, don Rafael.

—Aquí no es como en Roma... La gente va muy escaldada.

Retrepados en los sillones de mimbre, observamos el desfile de peregrinos. Tenía una sed del demonio y me bebí tres ginfís.

Borés controló el paso de once monjas y siete curas.

—Por ahí cuentan que con la expedición americana viene un burdel de mulatas.

—Algo tienen que ofrecer al público. Con tanto calor y las apreturas...

—¿Qué te parece si fuéramos a dar un vistazo?

—¿A la Emilia?

—Sí. A la Emilia.

Al arrancar, Manolo nos deseó que acabáramos la noche en buena compañía. Aunque era las once, las calles estaban llenas de gente. Los altavoces transmitían música de órgano y en la luz roja de Canaletas cedimos el paso a un grupo de peregrinas.

—¿Crees que...? —preguntó Borés, asomando la cabeza.

—Quién sabe... Seguramente hay muchas mezcladas.

—Invítalas a subir.

—Recuerda lo que ocurrió la última vez —dije.

En las Ramblas, el tránsito se había embotellado y aguardamos frente al Liceo durante cerca de diez minutos. Al fin, aparcamos el coche en Atarazanas y subimos a pie por Montserrat. La mayor parte de los bares estaban cerrados y en los raros cafés abiertos no cabía una aguja.

—Luego dicen que no hay agua en los pantanos —exclamó Borés, señalando las luminarias.

—Eres un descreído —le reprendí—. En ocasiones así se tira la casa por la ventana.

Por la calle Conde de Asalto discurría una comitiva tras un guión plateado. Varios niños salmodiaban algo en latín.

Casa Emilia quedaba a una veintena de metros y contemplamos la fachada, asombrados. Resaltando entre las cruces de neón de la calle, sus balcones lucían un gigantesco escudo azul del Congreso.

—Caray —dijo Borés—. ¿Has visto...?

—A lo mejor la han convertido también en capilla...

La luz del portal estaba apagada y subimos la escalera a tientas. En el rellano, tropezamos con dos soldados.

—Están ustés perdiendo el tiempo —dijo uno—. No hay nadie.

—¿Y las niñas?

—Se han ío.

Volvimos a bajar. Por la calzada desfilaban nuevos guiones y los observamos en silencio por espacio de unos segundos.

—¿Vamos al Gaucho?

—Vamos.

Al doblar la esquina, oí pronunciar mi nombre y miré atrás. Ninochka espiaba la procesión desde un portal y nos hacía señales de venir.

—Viciosos... —dijo atrayéndonos al interior del zaguán—, ¿no os da vergüenza?

Iba vestida de negro, con un jersey con mangas cerrado hasta el cuello y ocultaba su pelo rubio platino bajo un gracioso pañuelo-mantilla.

—¿Qué es este disfraz?

—Chist. Callaos... —Al sonreír, se le formaban dos hoyuelos en la cara—. Se las han llevado a todas... En camiones...

—¿Cuándo?

—Esta mañana. —Apuntó al altavoz que tronaba en lo alto del farol—. El señor ese ha dicho que cuando llegue el Nuncio la ciudad debe estar limpia...

—¿Y tú?

—Me escapé de milagro. —Volvió a mostrar el altavoz, con un mohín—. Dice que no somos puras.

—Difamación —exclamé yo—. Calumnia.

—Eso es lo que digo. —Ninochka se arregló la mantilla, con coquetería—. Al fin y al cabo, somos flores. Arrugadas y marchitas, pero flores... Lo leí en una novela... Las Hijas del Asfalto... ¿La conoces?

—No.

—Pasa en el Mulén Ruxe de París... Es muy bonita.

—¿Y dónde han mandado las flores? —preguntó Borés.

—Fuera. A los pueblos. A tomar el aire del campo.

—¿No sabes dónde?

—A la Montse y la Merche, las han llevado a Gerona.

—Habría que ir a consolarlas —dije yo—, ¿no te parece?

—Las pobrecillas —murmuró Borés—. Deben sentirse tan solas...

—¿Vienes? —pregunté a Ninochka.

—¿Yo? —Ninochka reía de nuevo—. Yo voy a la Adoración Nocturna... Como María Magdalena... Arrepentida...

Al despedirnos, me mordió el lóbulo de la oreja. Estaba terriblemente atractiva con la mantilla y su jersey casto.

—¿Crees que encontraremos algo? —pregunté a Borés mientras ponía el motor en marcha.

—La noche es larga. No perdemos nada probando.

En el Paseo de Colón el tránsito se había despejado y bordeamos la verja del parque, camino de San Andrés.

—A lo mejor es una macutada.

—Por el camino nos enteraremos.

Habíamos dejado atrás los últimos escudos luminosos y avanzamos a ciento veinte por la carretera desierta. Nuestro primer alto fue en Mataró.

—¿Ha visto usted un camión lleno de niñas? —pregunté al chico del bar.

—Yo no, señor. —Sus ojos brillaban de astucia—. Pero he oído decir al personal que han pasado más de cinco.

—¿Hacia Gerona?

—Sí. Hacia Gerona.

Nos bebimos las dos ginebras y le dejé una buena propina.

—Uno de mis clientes... Un notario... ha tomado el mismo camino que ustedes hace sólo unos minutos.

Borés le agradeció la indicación y subimos de nuevo al coche. En menos de un cuarto de hora, dejamos atrás la carretera de Blanes. En una de las curvas de la sierra alcanzamos un «Lancia» negro, que conducía un hombre con gafas.

—Debe de ser el notario —dijo Borés.

—El tío parece que lleva prisa.

—Acelera... Si me quita a la Merche, me lo cargo.

El parador de turismo tenía encendidas las luces y nos detuvimos a beber unas copas.

—¿Ha visto...? —preguntó Borés, al salir, indicando la carretera.

—Sí, sí —repuso el *barman*, riendo—. Adelante.

En el cruce de Caldas volvimos a atrapar al notario. Borés se frotaba las manos excitado, y le largó una salva de insultos a través de la ventanilla.

—La Merche es para mí, y Dorita, y la Mari...

A una docena de kilómetros de la ciudad, frené junto a un individuo que nos hacía señales con el brazo.

—¿Van a Gerona?

—Suba.

El hombre se acomodó en el asiento de atrás, sin sacarse la boina.

—Parece que hay fiesta por ahí —aventuró Borés al cabo de un rato.

—Sí. Eso dicen... —Hablaba con fuerte acento catalán—. En mi pueblo todos los chicos han ido...

—¿Y usted?

—También voy. —En el retrovisor le vi guiñar un ojo—. He esperado a que mi mujer se fuera a la cama...

La barriada dormía silenciosa y torcí por Primo de Rivera hacia el Oñar. Desde el puente, observé que los cafés de la Rambla estaban iluminados. Un camarero iba de un lado a otro con una bandeja y un grupo de gamberros se dirigía hacia la catedral, dando gritos.

—Mira... —dije yo.

El Paseo ofrecía un extraordinario espectáculo. Sentadas en las sillas, acodadas en las barras de los bares, tumbadas sobre los bancos y los veladores había docenas de mujeres silenciosas, que nos contemplaban como a una aparición venida del otro mundo. El campanario de una iglesia daba las dos y muchas se recostababn contra la pared para dormir. Algunas no habían perdido aún la esperanza y nos invitaban a acercarnos.

—Vente pa aquí, guapo.

—Una cama blandita y no te cobraré ni cinco.

Borés y yo nos abrimos paso hacia las arcadas. Venidos de todos los pueblos de la comarca, los tipos discutían, riendo, con las mujeres y se perdían por las callejuelas laterales, acompañados, a veces, de tres o cuatro. Los hoteles estaban llenos y no había una cama libre. Los afortunados poseedores de una habitación se acostaban gratis con las muchachas más caras.

—Llévame contigo, cielo...

—Anda... Ven a dormir un ratito...

A la primera ojeada, descubrimos a Merche. Estaba sentada en un café, fumando, y al vernos, no manifestó ninguna sorpresa.

—*Dominus vobiscum* —se limitó a decir, a modo de saludo.

—*Ite missa est.*

Con ademán distraído nos invitó a instalarnos a su lado.

—Perdonarán que el «livinrún» esté sucio —se excusó—. Mi doncella está afiliada al sindicato y no trabaja el sábado.

El camarero hizo notar su presencia con un carraspeo. Borés pidió dos ginebras y otro café.

—¿De imaginaria? —preguntó cuando se hubo ido.

—Las clases ociosas solemos dormir tarde —repuso Merche.

Su rostro reflejaba gran fatiga. Como de costumbre no se sabía si hablaba en serio, o bromeaba.

—Hace un par de horas pasamos por el barrio y Ninochka nos contó lo ocurrido.

—Es una iniciativa del Ministerio de Turismo. —Merche apuró el café de su taza—. Como éramos incultas nos ha pagado un viaje... Agencia Kuk... Ver mundo...

—¿No has encontrado cama? —pregunté yo.

En lugar de contestarme, se encaró con Borés, sonriente.

—¿Y vosotros?... ¿Por qué estáis aquí?... ¿Han echado también a los hijos de buena familia?

—Sólo a los depravados —dijo él.

—Ah... A los depravados, sólo... Temía...

Los ojos se le cerraban de sueño. Borés cambió una mirada conmigo.

—Mi padre tiene un despacho cerca de aquí —explicó—. Si quieres, podemos dormir los dos juntos.

—Gracias, vida —dijo Merche—. Eres un amor de chico.

Bebimos las dos ginebras y el café. Una mujer roncaba en la mesa del lado y los gamberros corrían aún dando gritos.

—¿Y tú?

—Yo beberé otra copa, y ahueco.

—Entonces, telefonea a casa... Di que me he quedado a dormir en tu estudio.

Los miré alejarse hacia el barrio de la catedral. Cogidos del brazo. Luego pagué la nota del bar y caminé en dirección al río. Las mujeres me volvían a llamar y bebí otras dos ginebras. Aquella noche absorbía el alcohol como nada. Yo solo hubiera podido vaciar una barrica.

—Congresos así debería haber to los años —decía un hombre bajito a mi lado—, ¿no le parece, compadre?

Le contesté que tenía razón y, si la memoria no me engaña, creo que bebimos un trago juntos.

No sé a qué hora subí al coche, ni cómo hice los cien kilómetros que me separaban de Barcelona. Cuando llegué había amanecido y, por las calles adornadas, circulaban los primeros transeúntes.

Sólo recuerdo que una brigada de obreros barría el suelo, preparando la procesión y que, al mirar el balcón de mi cuarto, descubrí un flamante escudo.

—Debe ser cosa de mamá —expliqué al sereno.

Procurando no hacer ruido, me colé hasta el cuarto de baño y abrí el grifo de la ducha.

SUBURBIOS

Aquel invierno Alvarito solía venir a buscarme por las tardes. Antonia golpeaba en la puerta de la habitación con los nudillos y, al preguntarle yo qué quería, respondía, invariablemente:

—Está el señorito Alvaro.

—¿Dónde?

—En la portería. Dice que le espera a usted en la calle.

Yo cerraba los libros, malhumorado. Mi padre me había prometido un viaje por Europa si aprobaba el curso y veía aproximarse con inquietud la fecha de los exámenes. Alvarito afectaba gran desprecio por los empollones y, para evitar sus sarcasmos, debía estudiar a escondidas. Al pasar frente al espejo del pasillo me despeinaba un poco. Durante mis siete años de internado había vestido de punta en blanco y conservaba intacto mi horror por las corbatas, los cosméticos y los cuellos duros. Alvarito me había regalado una chalina de terciopelo y me la puse al salir a la calle.

—Sube, pronto —gritó, abriéndome la puertecilla—. Hay arcoiris y quiero llegar a las afueras antes de que anochezca.

Llevaba el coche descapotado a pesar del frío y arrancó a gran velocidad. Evitando la aburrida tranquilidad del Ensanche, nos dirigimos hacia el cementerio. Alvarito parecía muy excitado. Tenía una botella de ginebra en el bolsillo y se atizó un trago, sin soltar el volante. Aunque conocía el camino, cogía las curvas demasiado cerradas y, en una esquina, estuvimos a punto de atropellar a unos viejos.

—¿Qué te pasa? —dije.

—No me lo preguntes.

—¿Por qué?

—Porque ando con mala uva y, como vea a alguien que no me guste, lo embisto y me lo cargo.

Me pasó el botellón y bebí. Alvarito había alquilado un estudio en el Barrio Gótico y, muchas tardes, después de recorrer las afueras en automóvil, se procuraba algún alcohol y nos emborrachábamos. Nuestra vida carecía de alicientes y buscábamos sensaciones nuevas, para olvidar. En el estudio (el Antro, como llamaba Alvarito) nos sentíamos aislados del resto del mundo y conversábamos durante largas horas, ansiosos y febriles. Lo habíamos probado todo: el coñac, el pernó, la ginebra, el vino peleón, el anís. Un día, Alvarito trajo alcohol de noventa de la farmacia y lo bebimos, templado con un chispo de agua. Otra vez tomamos tres litros de café y nos aturdimos oliendo un frasquito de éter. A menudo nos invadía un furor universal e incontenible y, en las tabernas de Escudillers, nos liábamos a discutir con las putas y los borrachos.

—Hay que quitarles las razones de vivir —decía Alvarito—, obligarles tomar drogas o a suicidarse.

Habíamos decidido organizar una Jornada de Opresión al Pobre, defraudar a los obreros en su jornal...

Habitualmente realizábamos nuestras incursiones por el puerto o por Montjuïc pero, aquel día, Alvarito continuó, más allá del cementerio, hacia la explanada donde los murcianos edificaban sus barracas.

—Mira. Un gordo —exclamó, apuntando con el dedo, hacia lo lejos.

—Ya lo veo.

—Como no se dé prisa, lo aplasto.

El viento le alborotaba el pelo sobre la frente y apretó el acelerador con rabia.

—El hijoputa... —El hombre se había salvado, de un brinco—. Le ha ido de un pelo...

—Caray —dije yo—. Si no se aparta...

Alvarito repitió todavía el juego. Cada vez que veía a un gordo (o a un pelirrojo, o a una mujer fea) aceleraba de repente y acogía con una mueca de burla la salva de insultos que le largaban.

—Estamos en Cuaresma —decía—. La vida es breve...

Al fin, pareció cansarse también. Su agitación había decaído y aminoró poco a poco la marcha. Durante unos momentos me miró de reojo, como para hablarme. Tenía el botellín de ginebra en el bolsillo y bebió, de nuevo, un trago.

—Estoy metido en tal lío, que no sé cómo me saldré.

—¿Faldas? —dije.

—No —denegó con la cabeza—. Es mucho más complicado...

Estábamos en las afueras y se detuvo en un solar. Las nubes escampaban velozmente y la tierra olía a recién llovido. Encaramados en una pila de escombros, contemplamos los lavajos y barrizales. El sol rozaba la cresta de la montaña y en el cielo se barruntaba el crepúsculo.

—He roto definitivamente con mi familia.

—¿Cuándo?

—Esta mañana. Tuve una agarrada con papá y me echó a la calle.

Más allá del solar había una herrería y, desde fuera, podía verse la fragua. Un hombre batía el hierro con el martillo, y el aprendiz se asomó a la puerta y apretó a correr por los lodazales. El sol parecía un disco de cobre. Antes de ponerse, coloreaba la explanada de un tono rojizo y el chico empezó a bailar frente a él y a dar saltos.

—Conozco un ventorro cerca de aquí —dijo Alvarito—. La hija del dueño está como un tren... Tiene unas tetas que no le caben en la blusa de grandes.

Junto a los muros del cementerio se extendía un solar cubierto de huertecillos y jardines. Dos albañiles corregían el alabeo de la pared. El más joven preparaba la mezcla en un cuezo y el otro la recogía del esparavel con la llana. Hablaban con fuerte acento andaluz y, al pasar, nos dieron las buenas tardes.

—¿Qué ha ocurrido? —dije.

Alvarito caminaba con la cabeza gacha e hizo un ademán con los hombros.

—Es tan complicado, que no sé por dónde empezar.

—Empieza por donde tú quieras.

—Espera. Cuando lleguemos al ventorro.

Nos detuvimos frente a un edificio de aspecto mísero. Su interior estaba adornado con faroles y banderitas y un cartel de la Feria de Sevilla presidía, detrás de la barra. Alvarito entró y le seguí. Una chica fregaba los vasos en un lebrillo. Tal como había dicho llevaba una blusa de seda muy ceñida y sus tetas se adivinaban grandes y bien formadas.

—¿Qué te parece? —me preguntó.

—Magnífica —repuse—. Le haría un favor ahora mismo.

—Yo también —suspiró—. Si no me encontrara en la situación en que me encuentro...

El dueño se acercó a tomar el encargo. Una pareja hablaba a media voz en la mesa vecina y, mientras Alvarito decidía, me entretuve en observarles. La mujer parecía buscona (o criada) y soportaba el asedio del hombre a la defensiva. Su amigo tenía un rostro abollado de boxeador, el pelo cortado al cepillo y una cicatriz en la sien, rosada y larga. Acodado en la mesa intentaba vanamente atrapar la mano de la mujer. Sus ojos centelleaban de ira y, por su tartajeo, comprendí que estaba borracho.

—Gachona...

—No hay gachona que valga.

—Una vez más... Solo una vez.

—Ni una vez, ni cien veces.

—Me lo prometiste... Cuando viniste a verme...

—Que no... Que no lo aguanto.

La hija del dueño se había vuelto por primera vez hacia nosotros y cambió una sonrisa con Alvarito. Estaba verdaderamente en su punto, con el pelo largo, deshecho, y el cuello, curvado y blanco.

—¿Te conoce? —le pregunté.

—El otro día charlamos unos minutos.

El padre vino con dos jarrillos de tinto. Alvarito se sirvió y me sirvió a mí. La presencia de la chica le ponía visiblemente nervioso y se removió en el asiento, sin decidirse a permanecer en él ni a levantarse.

—Papá me ha dado un ultimátum de veinticuatro horas —dijo al fin.

—¿Para qué?

—Para elegir. Quiere que formalice mi situación con Memé y plante a Laura.

—¿Sabe lo de...?

—Sí. Ayer hablé con el médico.

—¿Y qué?

—No hay nada que hacer. Es demasiado tarde.

—¿Cuánto tiempo?...

—No sé... Al menos cuatro meses.

—¿Y tu padre? ¿Qué tal ha reaccionado?

—Ya lo puedes suponer. —Vació su vaso de un trago—. Está convencido de que no es mío y no quiere que lo reconozca.

—¿Cómo, que no es tuyo?

—Dice que Laura ha ido con muchos y que debe ser de otro.

—¿Se lo has contado a ella?

—Sí.

—¿Y qué dice?

—Me jura que es mentira, como una loca... —Vertió el vino del jarrillo en el vaso y volvió a beber—. Creo que si no reconozco al niño se suicidará...

—¿Y qué vas a hacer?

—No lo sé... Me gusta más que Memé, como mujer. Pero no me veo viviendo con ella. Apenas sabe leer y escribir. Es demasiado bruta.

Había acabado con el vino del jarrillo e inclinó la cabeza, abrumado. En la mesa vecina, el hombre había cogido la mano de la mujer e intentaba besuquearla.

—Una sola vez... Apagaré la luz y no te darás cuenta.

—Suéltame.

—Te prometo que lo haré a oscuras.

—Te digo que me dejes.

El antebrazo del hombre era fuerte y velludo y la nuez le subía y bajaba en el gaznate, lo mismo que un émbolo. Sus ojos miraron a la mujer con la desesperación de un ahogado. La mano soltó la presa al fin y, al hacerlo, descubrí que le faltaban dos dedos.

—Lo peor de todo —continuó Alvarito— es que Memé se ha enterado de lo ocurrido y no quieras saber cómo se ha puesto...

—¿Memé? —exclamé—. ¿Quién se lo ha dicho?

—¿Quién quieres que se lo diga?... Mi padre.

—¿Lo del niño también?

—También. Cuando fui a verla esta mañana, estaba hecha un mar de lágrimas y me dio a elegir, entre Laura y ella.

—Vaya lío...

—Dímelo a mí. —Se quitó las gafas sin montura y las limpió con su pañuelo—. Desde ayer, las dos se pasan el día llorando y no hay manera de calmarlas. Laura quiere que vaya a Madrid con ella y Memé, que dé el anillo a sus padres... —Movió la cabeza con desaliento—. Me dan ganas de largarme a la Cochinchina y de dejarlas a las dos plantadas...

El dueño repasaba las piqueras de los toneles y la muchacha nos sonrió desde el bar. Alvarito cogió los jarrillos y se los dio para que los llenara. Retrepándome en el asiento, observé con disimulo a la pareja. El hombre había servido su vaso hasta el borde. Su rostro estaba congestionado y los labios le temblaban. Sin hacerle caso, la mujer se arregló el pelo y miró ostensiblemetne el reloj.

—Me voy. Se me hace tarde...

—Aguarda... Un minuto.

—Estoy fuera de casa desde las cinco. Mis patrones pueden llegar de un momento a otro y no quiero que me abronquen por tu culpa. —Hizo ademán de levantarse pero continuó sentada en la silla—. Bastante he hecho con venir a verte.

—Entonces, vuelve mañana...

—Dale con la canción... Ya te he dicho que se acabó y se acabó.

—Gachona...

—Es inútil. Aunque me dieras todo el oro del mundo no vuelvo...

En la barra, Alvarito hablaba animadamente con la chica. Le había quitado una horquilla del pelo y se hacía el remolón para devolverla. Ella seguía el juego, halagada. Su padre se había eclipsado por la trastienda y Alvarito amagaba tirarle de la manga.

—Démela usted, no sea malo... Voy a parecer una bruja.

—¿Usted?

—Sí, yo.

—Se la daré si me promete usted una cosa...

—¿Qué cosa?

Alvarito le sopló algo al oído. La muchacha pareció reflexionar y le contestó del mismo modo. Después, Alvarito volvió a la mesa con los jarrillos y ella se acodó, como absorta, en la barra.

—¿Qué le has dicho?

—Nada —repuso—. Tonterías. —Bebía directamente del jarrillo y añadió—: ¿Qué harías tú en mi situación?

—No lo sé —dije. Estaba acostumbrado a sus historias de faldas y sabía por experiencia que, dijera lo que dijera, acabaría por hacer lo que le diera la real gana—. Es tan complicado todo...

—Yo no quiero comprometerme aún... Vivir con Laura me aburre y el matrimonio me da cuatro patadas.

—Ya supongo.

Cambió una mirada con la chica y tabaleó suavemente los dedos.

—¿No se te ocurre nada?

—No.

—Me fastidia perder mi libertad ¿comprendes? —La luz se había remansado en sus pupilas y hablaba sosegadamente—. En cuanto uno acepta vivir con una mujer, está listo.

—Dile a Memé que quieres acabar la carrera.

Me observó. Sus ojos brillaban enfrente de los míos.

—¿Y Laura? ¿Qué hago con Laura?

—Mándala a paseo.

—Esto está pronto dicho...

—Lárgate. Haz las maletas. Viaja.

—Ya lo he pensado —murmuró—. Hace más de dos noches que no duermo.

Oí un estropicio detrás y me volví. El hombre acababa de incorporarse y había arrojado un vaso contra la pared. En su rostro bermejo, como sofiamado, sus ojillos brillaban, inyectados en sangre.

—Está bien. Como tú quieras...

Evitando mirar a la mujer, cogió una cachava del colgador y se encaminó hacia la salida. La mesa había ocultado hasta entonces la parte inferior de su cuerpo y, con un repelo de frío, descubrí que le faltaba una pierna.

—¿Qué ocurre? —preguntó la hija del dueño, cuando se fue.

La mujer se había levantado también y miraba hacia la calle, confundida.

—Se puso furioso porque no he querido ir con él...

Se inclinó e hizo ademán de recoger los cristales del suelo.

—Espera. Yo te ayudo...

—Desde que salió del hospital no encuentra ninguna mujer y está de malas pulgas.

La chica vino con una bayeta y una escoba, y se dejó caer en su asiento. Sus ojos escudriñaban la oscuridad de la puerta y su mirada se cruzó con la mía.

—Habíamos sido muy buenos amigos, antes —dijo como disculpándose—. Trabajaba en una fábrica cerca de aquí y le explotó una caldera.

—Su cuerpo es sólo una cicatriz —explicó la chica.

—Es algo más fuerte que yo, no puedo... lo he probado una vez, por lástima, y me moriría si tuviera que hacerlo de nuevo...

Apuré el vino del jarrillo. La mujer callaba y la chica se había ido con la bayeta. Como siempre que andaba metido en un lío, Alvarito se quitaba y ponía las gafas y se removía nerviosamente en la silla.

—En el peor de los casos, siempre queda el recurso de la Legión —suspiró.

—¿Marruecos?

—Sí. Te apuntas en el Banderín de Enganche y desapareces.

—Luego quieres salir y no te dejan...

—¿Y qué? —repuso—. Africa está así de mujeres. Conozco a un tipo que vivió allí y dice que se afeitan entre las piernas... ¿Te imaginas?... Lo mismo que las niñas...

—Deben de estar llenas de enfermedades —objeté.

—Mejor que mejor. Estoy harto de mujeres limpias y honestas. De ahora en adelante, iré con las más tiradas... Hay una, sin dientes, en el Parque, que lleva más de cuarenta años en el oficio. Negra de mugre, harapienta, un verdadero Solana... —Hablaba con vehemencia y bebió un chisguete de mi vino—. La higiene es una virtud burguesa.

Yo también empezaba a sentirme mareado y la idea de un viajecito por Marruecos me entusiasmó. Alvarito hizo la apología del Kif, el calor y las moscas y, de mutuo acuerdo, decidimos que, si las cosas se complicaban, nos engancharíamos en la Legión.

Cuando nos dimos cuenta eran más de la ocho. La hija del dueño seguía lavando vasos y Alvarito miró, asustado, el reloj.

—Caray, tengo que irme.

—¿Dónde?

—He prometido llevar al cine a Laura.

—Ve luego.

—Imposible. Memé me espera después de la cena.

Aunque de mala gana, me puse de pie. La mujer acechaba todavía las sombras de la puerta y Alvarito se levantó y dio veinte duros a la muchacha.

—Mañana, estamos citados a las seis —me susurró, mientras ella iba a buscar el cambio.

—No revientes...

—Te lo juro por lo más sagrado. Asómate por la Bolera si no me crees...

No me lo creía y, al día siguiente, fui allí. La cabeza me dolía a causa de la resaca y había renunciado a estudiar. Sentado en una mesa, junto a la pista, me bebí un par de ginfís.

Alvarito tenía una suerte endiablada con las muchachas. Cada día salía con una distinta mientras que, a mí, ninguna me hacía caso. Pero aquella vez estaba seguro de que faroleaba y, a regañadientes, tuve que admitir mi error.

La chica llegó a la hora y Alvarito con algo de retraso. La noche antes había cenado con Memé (después de ir al cine con Laura) y, al pasar junto a mi mesa, me hizo un guiño. Una orquesta interpretaba sambas en el fondo del jardín y, cuando me fui (la cabeza me pesaba como una losa), los vi bailar a los dos, muy apretados.

Le pregunté si se había alistado en la Legión y no me contestó.

OTOÑO, EN EL PUERTO, CUANDO LLOVIZNA

No conozco nada mejor que pasear por el puerto en otoño, cuando el cielo oscurece y cae la llovizna. Por la Plancheta y muelle del Reloj el viento sopla impregnado de olores de pescado y de brea, las luces del faro de Montjuïc barren la noche como las hélices de un autogiro y, desleída en la niebla, la vieja torre del transbordador parece más triste y solitaria que nunca.

He vagabundeado por allí durante otras épocas del año, pero no es lo mismo. En junio, el muelle está lleno de curiosos que vuelven de la subasta de la pesca y, a las ocho de la tarde, todavía hay bañistas que se apresuran y corren hacia la parada del tranvía. Ni siquiera se puede ir a Rocamar, más allá de la garita de los guardias. La escollera sirve de refugio a las parejas de enamorados y, pases a la hora que pases, siempre tropiezas con alguna. En primavera y verano el puerto se aburguesa. Para apreciar bien la situación del Varadero hay que ir en otoño, cuando las aves calan en picado sobre las boyas, las sirenas suenan de distinto modo a causa de la humedad y cae la llovizna.

Recuerdo muy bien la primera vez que fui —una tarde como hoy— en el tiempo en que no conocía aún a Raimundo. Había salido a callejear y llevaba conmigo el barrilito de ginebra. Estaba harto de ver a gente que me aburría, aprender cosas que no me interesaban, discutir y forcejear con mi familia. De una sola cosa estaba seguro: no sería jamás abogado. Dos cursos de estudio concienzudo me habían hecho aborrecer definitivamente las leyes. No sabía aún lo que quería ser. Me pasaba el día en la cama, leyendo. Confusamente, aguardaba un milagro.

Había llovido todo el día y, después de unos minutos de bonanza, el mar se escarolaba. Acodado en el pretil de la escollera estuve mirando el puerto a través de los huecos de los tinglados. El aire parecía una prolongación transparente de las nubes y estaba como embebido de luminosidad. Poco a poco, la bruma esfumó el perfil de los objetos. Envuelto en la niebla. Montjuïc daba la impresión de flotar en una atmósfera inmaterial. El faro barría ya el cielo a escobazos amarillos. Luego el breve crepúsculo terminó y, mientras la oscuridad se poblaba de luces, comenzó a llover de nuevo.

Era una lluvia menuda —un calabobos— y resultaba casi agradable. El camino, que luego he recorrido tantas veces, lo hice, entonces, a tientas. Bajo el espigón, en el lado del puerto, hay unos rieles que sirven para llevar la piedra en carrillos hasta las obras de prolongación del muelle. Los atravesé —allí donde trepa la escalerilla— y bordeando el Depósito de Hielo, desemboqué frente a los criaderos de mejillones, por el antiguo cementerio de las barcas.

El Varadero está en primer término, unido a tierra por un puente de tablas y, si se va de noche, las siluetas del Franela y los parroquianos se recortan en las ventanas del figón como sombras chinescas. Un silencio producido por la condensación de infinidad de ruidos minúsculos da a uno la ilusión de encontrarse a miles de kilómetros de la ciudad y, aunque la zarabanda de sombras trence y destrence en la ventana el argumento de un misterioso ballet, si aguzáis el oído, vuestro esfuerzo será inútil: la soledad del Varadero es todavía más fuerte y no percibiréis absolutamente nada.

El pontón —con la caseta de techo en pendiente y las barcas a medio calafatear— se disuelve en la noche y forma cuerpo con ella. Sólo los focos del muelle y los fanales de alguna pesquera transparentan en la neblina. La lluvia lo empapa todo: el suelo de la explanada, los bolardos, las gabarras, los botes vacíos y, cuando las sirenas aúllan, su zurrido no tienen el mismo acento que en verano: parecen anunciar viajes largos y tristes despedidas, son duras y encogen el ánimo.

La primera vez que estuve —hace más de un año ya— me paré a mirar el faro de Montjuïc. El vigilante de las obras se calentaba las manos en el fuego a la puerta de la barraca. Le di las buenas noches y le pregunté si en el Varadero servían bebidas.

—Las que usted quiera —dijo.

Hablaba con ligero acento asturiano y su cara flaca y como prematuramente avejentada me agradó. Creo que aquella misma tarde tomamos un trago juntos.

Cuando hoy fui estaba en el mismo lugar y era como si el tiempo no hubiera pasado. Aunque durante meses uno deje de visitar el Varadero, al volver, está siempre seguro de encontrar las mismas caras. La clientela se renueva poco y si falta alguno —como ocurrió con el bueno del tío Nello— te acabas enterando de que ha muerto y hace mucho que lo enterraron.

Manuel asaba castañas en la sartén y se levantó, sorprendido de encontrarme allí, tras tantas semanas de ausencia.

—Raimundo se pondrá muy contento si le vas a buscar —me dijo—. Hace un par de horas arreó una buena somanta al Antonio, nadie sabe por qué. No le dejes beber y procura calmarlo.

Otra vez aún Raimundo me hacía latir el corazón más aprisa. Antonio y él son viejos compañeros de trabajo. La segunda tarde que fui al Varadero —me había invitado el día anterior y ya nos tuteábamos— echaban una partida de cartas y nos presentó el uno al otro.

—Antonio... Un amigo...

Debía de ser las siete o las ocho, había oscurecido un rato antes. Sentado entre ellos miraba la nuca fuerte de Raimundo, su pelo negro y su poderoso antebrazo mientras arrojaba los naipes sobre la mesa. Era el truco de los pueblos de Cataluña y yo no sabía jugar. Antonio tiene los rasgos muy finos y se mordía la punta de la lengua con expresión taimada. Llevaba la gorra echada hacia atrás y el pelo le caía por la frente. Me acuerdo que estaba también el tío Nello y un buzo que nunca he vuelto a ver.

El Varadero es uno de esos sitios en donde se pierde la noción del tiempo. Se bebe, se fuma, se discute y a nadie se le ocurre mirar el reloj. Cuando el Franela pone a calentar algo en la estufa, es que ha llegado la hora de cenar. Entonces, pescadores, mejilloneros y empleados de las obras van a sus casas o sacan la comida de las tarteras e invitan a los demás a compartirla. El ruido de botas de los aduaneros que vienen a jugar al póquer o a tomar la *barreixa,* os recuerda que son más de las diez. El cabo y la ronda de vigilancia suelen pasar a las doce...

El pontón flota sobre el puerto y la oscilación del paisaje en las ventanas refleja el paso de barcos y motoras. Es una sensación extraña. Uno ha bebido sólo dos copas o vaciado un porrón con un amigo y cree, de pronto, que está borracho: el suelo se mueve a sus pies, las paredes se tambalean.

Cuando llevé a Sergio allí me dijo luego que era un bar infecto y que, al salir, se pasó la noche vomitando.

Yo me había aclimatado en seguida. Nada más poner los pies comprendí que era el lugar que buscaba. El figón está iluminado por una bombilla única sucia y macilenta. La estufa caldea agradablemente la atmósfera y sirve para asar y freír. Sobre el mostrador, funciona una radio que nadie escucha. A veces emite una serie de sonidos inarticulados durante horas y horas, hasta que alguno lo advierte y la apaga. Los alcoholes se alinean en los estantes, sujetos con aros de hierro y, en la fresquera, el Franela tiene botellas de naranja, cerveza, gaseosa y coca-cola.

En los meses de frío, los parroquianos son pescadores, buzos, mejilloneros, dueños de barcas u obreros del muelle o La Vulcano. También se asoman algunos carabineros y hombres de profesión más bien indeterminada, que juegan al póquer con ellos y hacen contrabando conchabados con el cabo. Así, aunque las caras sean las mismas, la escena se renueva continuamente. En verano, en cambio, el Varadero, se llena de gilipollas y horteras con bigotito, que van al puerto a pescar o remar, acompañados de mujeres mantecosas, novias estúpidas y chiquillos insoportables. Uno que no ha estado nunca, puede que lo encuentre bien; pero, para los que aprecian el lugar de verdad, es algo insoportable.

En otoño, cuando anochece y cae la llovizna, el Varadero no es un sitio muerto ni mucho menos. Se han largado de allí pipiolas y señoritos y la vida prosigue igual que antes. Bartomeus carena el casco de su motora, el mozo va y viene con cubos, nasas, zaguales y cuerdas. Cuando atracan los botes, Amadeo, el Palanca y los otros guardan los liños y palangres en el cuarto del patrón y enseñan a la gente lo que han pescado. Algunos días traen cangrejos de mar, salmonetes y langostinos pero, de ordinario, sardinas o bogas y, según haya soplado el viento, absolutamente nada.

Acodado detrás del mostrador, el Franela contempla todo con cara somnolienta. No bebe, apenas fuma, nadie le conoce lío de faldas. Tiene ojos grandes, inexpresivos y se hurga la boca con un mondadientes. En trece meses de contacto casi diario, no le he visto excitarse más que en dos ocasiones: cuando Amadeo quiso cambiar la estación de radio que transmitía un motete del padre Vitoria y la noche memorable en que la señorita Rosi se jugó la barca al póquer y la perdió. Empezó a maldecir y llorar y la trató públicamente de prostituta.

Yo me he sentado siempre en la mesa de Raimundo. Me gusta verle dar un tiento al porrón, barajar cartas, golpear con el puño la mesa. Me fue simpático desde el primer día y creo que yo a él también. No hago más que entrar, que ya me ofrece beber de su vino y siempre he tenido que pelear con él para que no pague.

Los demás aficionados al truco son, Pepe, Amadeo, Antonio y el tío Nello —antes de que le cayese la grúa encima y lo matara—. A los pocos días de observar a los otros comencé a jugar de pareja con Raimundo y no lo hacía mal. Antonio era el último en marcharse y parecía querer mucho a Raimundo. Cuando estaba algo achispado y cantaba, hasta le pasaba el brazo por el cuello.

En una ocasión, sin embargo —por el tiempo en que la ciudad andaba agitada y la gente no subía a los tranvías—, mi amigo me habló de él. «Es un chico simpático y le tengo aprecio», dijo. «Eso sí: siempre va a la suya. No hay forma de que se ponga en la piel de los demás. Muchos cabrones han empezado con menos.» Pero al día siguiente jugaban los dos tan campantes y Antonio parecía satisfecho de sí mismo y canturreaba.

Cuando Manuel me dijo esta tarde que Raimundo le había partido la cara, no dudé, ni un segundo, de que tenía razón. A Raimundo se le puede reprochar un montón de defectos, pero nunca hace las cosas al tuntún. Antes de decidirse a algo lo piensa con calma y, si había pegado a Antonio, es porque estaba seguro de que lo merecía.

La llovizna seguía cayendo sobre mi abrigo y me calaba. En casa de la Adela, su marido fumaba sentado en el poyo. El suelo estaba encharcado y no había luz. La obra queda a cien metros del Varadero y, con el corazón palpitante, salté a bordo de la gabarra.

Conocía la embarcación palmo a palmo y golpeé en la escotilla. Raimundo duerme en la bodega, sobre un colchón de paja. No tiene siquiera almohada y apoya la cabeza en una guindola de salvavidas.

La noche en que me quedé con él no pude pegar un ojo y me levanté con tortícolis. Para mirar a un lado debía volver todo el cuerpo y Raimundo rió hasta salírsele las lágrimas. Yo dije que me pasaba por ser la primera vez, pero él me daba con la mano en el cogote y afirmaba que los jóvenes de ahora éramos peor que las mujeres.

—Estoy seguro de que ninguna mujer aguanta eso —repuse.

Raimundo se ceñía el pantalón a las caderas y corrió un par de agujeros la tarabita del cinturón.

—Pues han venido muchas y, que yo sepa, ninguna se ha quejado.

—¿Aquí mismo?

—Aquí mismo, sí señor. Como tú esta noche, pero desnudas.

Aquella confidencia —y la risa de Raimundo al decírmela— me habían dejado en un estado de confusión y ansiedad. Hasta entonces, mi idea de las mujeres se asociaba a la imagen de una gran cama en donde uno se metía con ellas, en una habitación llena de espejos, con cuarto de baño, luces de tres colores y música. Siempre que me había acostado con una ocurría así. El descubrimiento de que podían bajar a una bodega cochambrosa y hacerlo en un espacio donde apenas cabían dos personas, sobre unas mantas que olían a sudor, entre rollos de cuerda y barriles, me trastornó.

Cuando, al otro día repetí la frase a Sergio, alzó desdeñosamente los hombros. «Tu amigo debe ser un pedazo de bruto», dijo. «A las mujeres les gustan los hombres sucios, cuanto más mejor. A veces son ellas quienes les pagan. Es algo muy sabido.» Le pregunté si había leído aquello en una novela por entregas y dije que Raimundo se lavaba. Estaba celoso de nuestra amistad —eso era evidente— y, dándose aires de entendido, explicó que las mujeres casadas vivían doble vida y, mientras el marido andaba fuera, recibían a sus amantes.

—¿Todas? —dije.

—Todas. Hasta mi madre.

Yo no estaba tan seguro como él y no me atrevía a preguntárselo a Raimundo. Temía que se riera de mí, como el día en que Adela, para gastarme una broma, me invitó en su barraca. Durante el verano había podido darme cuenta de que las pelanduscas que van al Varadero con sus novios le rondan como mosconas. Raimundo tiene un cuerpo grande, nudoso y, como palea a torso desnudo, parece casi mulato. La misma señorita Rosi —presuntuosa y todo como es— procuraba frotarse contra él igual que una gata en celo.

Ya he dicho que, en verano, el Varadero se llena de horteras y, para estarte allí, soportando sus necedades mejor te quedas en casa. Así se lo dije yo a Raimundo, cansado de verle entre mujeres y

Él convino conmigo, riendo. Al día siguiente, salimos a pescar en un bote. El sol se pone a las ocho y, como termina el trabajo a la seis, daba tiempo de ir a la punta de la escollera e incluso a los farallones del otro lado del rompeolas.

Fueron los únicos buenos momentos del verano. Cogíamos la barca de Amadeo y Raimundo remaba de pie, con la espadilla. Poco a poco dejábamos atrás los criaderos de mejillones, las grúas y vagonetas de la obra. Al atardecer, las pesqueras regresan al muelle del Robaix, las golondrinas pasan cargadas hasta los topes, y docenas de gaviotas blancas pueblan el aire con sus gritos. Sentado en la roda de proa observaba a Raimundo mientras disponía las nasas, o le ayudaba a calar el palangre. Los peces no se dan prisa en picar y hay que tener paciencia. Para matar el tiempo hablábamos. Casi todas las cosas que sé de él las aprendí entonces. Cuando volvíamos, era noche cerrada.

Raimundo me explicó la pesca al trasmallo y al bou, la diferencia entre un gánguil y una draga. He visto poca gente tan enterada como él y el domingo en que tomé la golondrina con Sergio me divertí en llamar a cada embarcación por su nombre, para irritarlo. Yo, en cambio, no le he enseñado nada y muchas veces me pregunto por qué le gusta salir conmigo. Al principio le contaba las peleas con mi familia y lo aburrido que era estudiar leyes, pero nunca me tomaba en serio. El día en que le expliqué el carácter excepcional del Varadero, me miró con ironía. «Tú tienes un montón de cosas en la cabeza y servirías para escribir. El Varadero es un sitio como los otros, un poco más pobre. Los trabajadores vamos porque es económico.» Yo le había dicho antes que allí me sentía existir y, cuando calló, no me atrevía a añadir nada, avergonzado.

Durante el resto del verano seguimos paseando juntos. Al volver, la mayor parte de los forasteros había ahuecado y sólo quedaban los asiduos. Sentados en nuestra mesa, mientras el mozo calentaba la comida, jugábamos al truco. La señorita Rosi se timaba entonces con Bartomeus y, el Franela los miraba con ojos de pescado hervido.

A veces, la Adela se sentaba con nosotros para frotarse con Raimundo y excitarlo. Todos sabíamos que emborrachaba a su marido para sacárselo de encima y una noche en que no encontré a Raimundo y fui a buscarlo, los descubrí a los dos en cueros, en el fondo de la gabarra.

Desde entonces, no he vuelto a dormir allí y, cuando voy, antes de levantar la escotilla, llamo.

Esta tarde, Raimundo estaba solo. Le oí preguntar: «¿quién es?» y, al responderle «yo», él mismo trepó por la escala y abrió la trampa de la escotilla.

—Pasa, hombre. Me estaba afeitando.

Iba con la cara embadurnada y llevaba un jersey de lana de color azul marino. Sobre la cuba, al lado del petate había una bacía con espuma de jabón y un espejo de bolsillo débilmente alumbrado por una vela.

—Siéntate —dijo—. ¿Qué me cuentas?

Yo no tenía nada que contarle, si no era mi proyecto de ir a París y tampoco me atreví a preguntarle por Antonio. Prefería que hablase él primero. Mientras pasaba la navaja por la barba le estuve mirando y descubrí manchas de sangre en sus nudillos. Hice como si no las viera.

El corazón me latía muy aprisa y aguardé a que se calmase. Raimundo es poco aficionado a los discursos. Habla lo estrictamente preciso y, después, la achanta. Dice que los de la ciudad somos una banda de comineros y que, con la saliva que gastamos, podríamos pegar todo el día sobres. Cuando

Sergio fue al Varadero le escuchó con las cejas enarcadas y, apenas regresó a casa, parodió cruelmente su voz y nos hizo partir de risa.

Yo no había querido presentarlos hasta entonces, fue Sergio quien insistió. Desde que descubrí el Varadero salgo poco con él y no me lo perdona. Al principio le había hecho un elogio exaltado del lugar y del carácter del Franela y Raimundo, pero en seguida me di cuenta de que era un universo demasiado simple para él y comprendí que cualquier tentativa de aproximación estaba condenada al fracaso.

Fue un período largo —de enero a setiembre— durante el que viví de modo absurdo. Por las tardes iba al Varadero a ver a Raimundo y sus amigos y las mañanas eran para Sergio y mis compañeros de antes. Durante la cena oía hablar de trabajo, salarios y dietas y, a mediodía de conciertos, exposiciones y libros. A cada uno procuraba ocultarle la existencia del otro. Comparaba mentalmente el tabuco de Raimundo —sin ventilación, luz ni agua— con el suntuoso dormitorio de Sergio —atestado de libros encuadernados en piel y cuadros abstractos— y la comunicación entre los dos me parecía imposible.

Al volver de vacaciones, Sergio dijo que le quería conocer. Hasta la fecha se había limitado a poner cara de listo o sacar una risita de conejo cada vez que se me escapaba su nombre. «Estoy seguro de que huele mal tu Raimundo», decía. «Si algún día me lo presentas, procura que se bañe.» Pero su desprecio era fingido y ardía en deseos de verle. En realidad, me envidiaba.

La noche en que le llevé fuimos a buscar a Raimundo a la gabarra y, para ocultar su turbación, adoptó un tono agresivo. «Es un sitio muy pintoresco», le soltó. «Me gustaría tener uno igual en casa.» Y, mientras íbamos al Varadero, me dio con el codo y aprovechó un momento en que mi amigo no le oía para decir malvadamente que si buscaba personajes miserables el limpiabotas de su barrio era más bruto que Raimundo y podía interesarme.

Nuestros amigos jugaban al truco en el figón y nos ofrecieron asiento. Sergio encendió uno de sus larguísimos cigarrillos emboquillados y, después, en lugar de pasar el paquete a los demás, como allí es costumbre, se lo metió en el bolsillo de la americana. Quería mostrar bien a las claras que no alternaba con cualquiera y respondía a las preguntas por encima del hombro. Jamás le había visto tan insoportable. Se dirigía a Raimundo de modo protector y le invitó a visitar la colección de abanicos de su familia. Al cabo, no aguanté más y, cuando fue a orinar fuera, le dije que si había venido allí a incordiar lo mejor que podía hacer era largarse. No me contestó —el pontón oscilaba mucho aquella noche y estaba lívido— y se marchó sin darme la mano.

Desde entonces voy al puerto cuando me da la real gana y no debo dar cuentas a nadie. Sergio llamó al día siguiente para decir que tenía un viejo sifilítico de repuesto, si me cansaba alguna vez de Raimundo y le colgué el teléfono a la mitad. Estaba verdaderamente harto de su costumbre de meter la nariz en todo y nuestra ruptura me llenó de alegría.

Volvía a comenzar el otoño y, aunque en el puerto no hay árboles y no se ve amarillear las hojas, el cielo es más transparente que en verano, los atardeceres son más rojos y basta seguir el vuelo de las aves —inquieto y como preñado de barruntos— para adivinar que el frío no tardará en venir, con su cortejo de días grises, niebla y llovizna.

En el Varadero revivía la atmósfera del año pasado. Raimundo, Amadeo y Antonio jugaban al truco. Bartomeus bebía ginebra con la señorita Rosi y el Franela continuaba como siempre acodado en el mostrador. Sólo faltaba el tío Nello, y Manuel le sustituía en las cartas. La noche en que me enteré del accidente me temblaban las manos, pero Manuel —lisiado después de una caída de quince metros— y Raimundo —con dos falanges arrancadas por una máquina— se rieron de mi emoción. Antonio dijo que cosas así suceden todos los días.

El Varadero, en otoño, es un lugar apacible y tranquilo y la pelea de esta tarde lo ha trastornado. Yo miraba el cuello ancho de Raimundo mientras pasaba la navaja por él y no sabía qué pensar. El corazón me latía rápidamente. Embarcándome en mis explicaciones, conté que había decidido romper con mi familia e ir a tentar la suerte a París.

—Saldré sin una gorda en el bolsillo, ¿comprendes? Allí los estudiantes recogen papeles y viven a salto de mata.

En contra de lo que me temía no se burló. En la gabarra me miraba casi con ternura y parecía contento de tenerme a su lado. Al terminar de afeitarse se secó la cara con un pañuelo y dijo: «¿Listos?»

Yo ya me había puesto de pie y, antes de que él soplase la vela, comencé a trepar por la escala.

Desde el malecón veíamos agitarse las sombras chinescas de la ventana. Los cables de las barcas crujían de modo sordo y la ventolla ahogaba el rumor de las conversaciones. Atravesamos el puente de tablas. Manuel había desertado de su chabola y nos aguardaba en el tranco de la puerta.

Dentro, había el ambiente de los sábados por la tarde. Amadeo canturreaba una habanera con la boina echada hacia atrás y las manos apoyadas en la faja. Los obreros del muelle no daban un instante de tregua al porrón. La señorita Rosi bebía un cuba-libre y parecía entre dos velas. Bartomeus se había cansado de besarla por los rincones y Manuel dijo luego que estaba completamente arruinada e íbamos a verla dentro de poco en algún prostíbulo. Busqué con la vista a Antonio, pero no le vi por ningún lado.

Al rato de llegar nosotros entraron dos mejilloneros con gabardinas de lona y sueste y, mientras guardaban los cubos, les seguí a la habitación del Franela. Quería saber lo ocurrido con Antonio, pero andaban tan enterados como yo.

—Será por una cuestión de trabajo —dijo uno—. El Antonio se arrima siempre al sol que más calienta. Cuando el martes pidieron aumento, se puso de parte del capataz.

Volví al bar y Raimundo me hizo sentar a su lado y me pasaba la mano por el hombro. Trajeron las cartas del truco. Era una velada como las demás y me sentía triste con la idea de que dentro de poco recogería papeles en París y no estaría allí para comprobarlo.

Creo haber dicho ya que el Varadero refleja el movimiento de los buques. Su oscilación se suma o resta a la producida por el alcohol y, lo mismo puedes beber y beber sin emborracharte, como encontrarte mareado al cabo de unos momentos. No hay regla fija, depende de los días. Esta tarde, el techo y las paredes se bamboleaban y debía hacer un esfuerzo para seguir el truco.

Quería decir a Raimundo que en París le echaría mucho de menos y no encontraba palabras. Lloviznaba bajo los focos de los tinglados y por la ventana veía moverse la chalana del tío Nello y las bateas atracadas en el muelle. Los carabineros se asomaron varias veces, sin detenerse a jugar al póquer; sólo tomaron un carajillo. Amadeo explicó que la víspera habían apresado una motora con un alijo de tabaco.

La mayor parte de los clientes que vienen después de medianoche son —o han sido— contrabandistas. El cabo cobra por hacer la vista gorda y, la vez que acompañó a Bartomeus a coger el tranvía, él llevaba una cartera llena de estilográficas y no le registraron. Cuando al día siguiente lo dije a Raimundo, pensaba en ser contrabandista también y le propuse asociarse conmigo y repartirnos las ganacias.

—Nos alquilamos por ahí una habitación y podemos vivir los dos juntos.

—Y nos casamos y tenemos hijos —rió—. ¿No has encontrado nada más brillante?

Yo imaginaba que mi idea lo era y me sonrojé cuando soltó lo del matrimonio y los niños. No había transcurrido una semana desde la estúpida visita de Sergio y temía que Raimundo me identificase con él. Me esforcé en demostrarle que el proyecto no era tan absurdo como parecía a primera vista.

—De un estudiante como yo no sospecha nadie.

—Y, cuando le pescan, su papito lo saca de la cárcel, y el socio, que se chinche. Anda, inventa otra mejor.

No hubo manera de convencerle. A Raimundo le hacían mucha gracia mis fantasías y a menudo reía y me daba en la cara con la mano.

—Cualquiera diría que la tramontana no os rige. —Hablaba en plural de los chicos de la ciudad—. Si paleaseis nueve horas como yo, seguro que andaríais menos guillados.

Yo me molestaba siempre al principio, pero acabé por reconocer que tenía razón. La última vez que fuimos a pescar, al volver hacia el muelle —había neblina y apenas se distinguía a dos pasos— topamos con la lancha de los carabineros. Nos abordaron con sus linternas y miraron el fondo de la barca. Me pegué un buen susto, porque no les había visto venir y creí que nos encañonaban con sus pistolas, pero Raimundo les enseñó los aparejos con calma y, cuando se fueron, se limitó a decir:

—Lástima que no llevemos contrabando.

Es la clase de personas que nunca se inmuta y por eso me costaba creer a Amadeo al pretender que se había peleado con Antonio por un asunto de fútbol. Terminada la faena en la obra —contó— habían ido a beber un trago al Varadero como los otros días y Raimundo leía el periódico. Tenía la cara algo bermeja y las pupilas brillantes y preguntó a Antonio si pensaba que Kubala era un delantero de primera categoría. Antonio repuso que no. Entonces, con gran sorpresa de todos, Raimundo elevó la voz y le llamó mentiroso y cobarde. En seguida le había retado a bajar al muelle y Antonio no tuvo otro remedio que aceptar.

—Aceptar ¿qué? —dije.

—Pues la pelea. Raimundo es más fuerte que él. Si se descuida, lo mata de la paliza.

El único inconveniente del Varadero es que el tiempo pasa demasiado aprisa. Cuando te das cuenta viene el relevo y ha llegado la hora de cerrar. Esta noche la velada transcurrió entre idas y venidas de carabineros y la gente bebió más que de costumbre. El mismo Raimundo, que puede vaciar una barrica sin achisparse, parecía más cargado que otras veces y apoyaba su brazo en mi hombro, ligeramente abatido. Yo no me atrevía a moverme y, al levantarme, me dolía el espinazo.

Luego, la Adela vino a buscarle y se fueron a la gabarra. Era el momento de largarse y el Franela servía los últimos carajillos. La señorita Rosi telefoneaba pidiendo un taxi. Uno de los obreros de la obra dijo: «¿vienes?» y salimos al muelle bajo la llovizna.

El trayecto de retorno a la Barceloneta es siempre magnífico. Me gusta caminar por la carretera lejos de las luces de los tinglados y subir la escalerilla de hierro, hasta el rompeolas. A partir de octubre suele estar desierto, el mar se estrella contra las rocas y el viento sopla, salado y frío. Cuando uno está borracho no conozco nada mejor. El malestar se te va en unos minutos.

El obrero era un mallorquín bajito y habló del compañerismo de Raimundo y su ascediente sobre los otros. Antonio informaba de todo al capataz y el fútbol había sido un pretexto para corregirle. «Yo que lo trato desde hace años, sé que esta tarde pasó muy mal rato. No le gusta abusar de su fuerza y, antes de eso, Antonio y él se querían.»

Habíamos llegado a Rocamar y me volví a mirar las luces del puerto, los barcos y el faro de Montjuïc. Nunca he podido hacerlo sin emocionarme y, esta noche, tenía como un nudo en la garganta. Asombra pensar en la facilidad con que unas cosas se van mientras otras permanecen, y descubría que mi pasado de niño bien, estudiante y artista, se reducía a eso: al Varadero y a Raimundo; a un paisaje de bruma en otoño, cuando cae la llovizna y no se oye siquiera el chapoteo del agua.

EL VIAJE

I

El cartel indicador se alzaba al final de la recta, con las letras pintadas de blanco, sobre el yugo y las flechas descoloridas. Desde la carretera se divisaba de nuevo el mar, liso y como bruñido por el sol y, más cerca, una zona cubierta de rastrojeras se extendía hasta los muros cuarteados de la fábrica en ruinas. A un extremo del campo, dos hombres batían la paja con sus bieldos. Era casi las doce y la calina que envolvía el paisaje, inventaba caprichosas espirales de celofán sobre el asfalto medio derretido.

Dolores frenó más allá del cartel y nos detuvimos a mirar, junto a la cuneta. El pueblo se extendía sobre una pendiente escalonada de terrazas y la cúpula de mosaico de la iglesia reverberaba a la luz del sol. De no ser por el bullicio y griterío de los chiquillos, se hubiera dicho que nadie vivía en él. Muchas casas estaban desmoronadas o en alberca, y sus fachadas maltrechas testimoniaban la existencia de una época de prosperidad y trabajo de la que la chimenea agrietada del teso y los restos calcinados de un molino constituían un recuerdo nostálgico. Ahora, toda la vida parecía concentrarse en el mar, y el puerto abrigaba medio centenar de embarcaciones protegidas por un espigón de obra, liso y curvado como una hoz.

—¿Qué te parece? —dije, señalando con el brazo, hacia el mar.

—Como sitio tranquilo, lo es —repuso Dolores, sin gran entusiasmo.

Acabado el pitillo, subimos al coche otra vez. La carretera partía el pueblo por en medio y encontramos la fonda sin dificultad: una casa de dos pisos, con las paredes enjalbegadas y una andana de balcones de hierro en la fachada delantera. A pocos metros de ella, una cola de mujeres con burros y aguaderas esperaban su turno para cargar agua de la fuente. Varios chiquillos jugaban alrededor de la pila y, al vernos, corrieron a nuestro encuentro.

—¿Van ustés a la fonda? —preguntó uno, asomando la cabeza por la ventanilla y, sin darnos tiempo de responder, desapareció en el interior del zaguán.

Al cabo de un momento, se presentó acompañado de una chica de buen ver, vestida con un viejo delantal blanco.

—¿Son ustedes los que han enviado la carta?

—Sí.

—Les hemos reservado la mejor habitación. —Se volvió hacia la puerta y comenzó a dar palmadas—. ¡Manuel!... ¡Paco!... Venid a coger las maletas... Los señores ya han llegado...

Nos apeamos. Por la puerta se había asomado un niño con la morra esquilada y un muchacho de unos veinte años, rubio y con el cabello revuelto.

—Tú, Paco, coge el bolso de la señora... —ordenó la chica—. Y tú, Manuel, carga con las maletas. —Aguardó unos segundos, como para cerciorarse de que la obedecían, y nos sonrió—. Ustedes vengan... Les enseñaré la habitación.

Tras el zaguán había una pieza en la penumbra, con veladores, sillas, retratos de familia y calendarios de propaganda en color. El balcón del fondo tenía la persiana corrida y un sistema de puertas y ventanas entreabiertas inventaba una vaga corriente de aire. Adosados a las puertas, varios tiestos con helechos y colocasias entretenían una ilusión de frescura, agradable como un oasis.

—Pasen.

Al atravesar la cocina, una mujer de mediana edad —la madre de los tres chicos, probablemente— dejó de trasegar el interior de una cacerola y nos estrechó cordialmente la mano, después de haber frotado la suya contra el delantal.

—Las habitaciones son calurosas a esta hora —advirtió—. Pero, a la noche, con la fresca, se está mucho mejor.

La escalera era estrecha y pina. Arriba, avanzamos por un pasillo de adobes, entre una doble hilera de puertas. La muchacha hizo girar la llave de una, y entramos.

El dormitorio tenía dos camas con colchón de muelle, dos mesitas de noche, un colgador y una palangana. El balcón daba sobre la carretera y conservaba la palma del Domingo de Ramos. Dolores se asomó un instante a ver. Yo miré el armazón del techo. Como la mayoría de las casas del sur, estaba construido a teja vana.

—¿Les gusta?

Dolores dijo que sí, que estábamos encantados.

—¿A qué hora quieren comer?

Le contesté que tarde. Que, antes, deseábamos ir a la playa.

Cuando nos quedamos solos, Dolores se puso el traje de baño y se volvió a vestir. Yo, ya llevaba el eslip debajo.

—No olvides la crema antisolar —me recordó, al salir.

—La he metido en el bolso.

—¿Estás listo?

—Vamos.

Abajo, la madre nos sonrió. Tenía el cabello recogido en rodetes, encima de las orejas y las gafas de concha le resbalaban por el perfil de la nariz. Aunque prematuramente gastada por el trabajo se adivinaba que de joven había sido atractiva.

—La playa de delante está llena de guijarros. Deben ir al otro lado del puerto. Allí, es magnífica.

Dolores le preguntó por el camino.

—No se preocupen. Paco les acompañará.

El niño asintió con la cabeza. Se había cambiado de vestido al mismo tiempo que nosotros y ahora llevaba gorro de visera, pescadora azul y sandalias.

—En coche, se llega en un minuto.

—Si es cerca, prefiero ir a pie —dijo Dolores.

—Como ustedes quieran —repuso.

Parecía ligeramente contrariado, pero lo disimulaba bien. El coche se cocía al sol implacable de la carretera y, al salir, descubrí el nombre del chico, escrito en el polvo del guardabarros.

—Por aquí —guió.

En la fuente, las mujeres seguían con las aguaderas. Un burro rebuznaba y no quería arrancar. Mientras caminaba oí blasfemar a un hombre. Habíamos torcido por una callejuela mal empedrada y desembocamos en un paseo, cara al mar.

—La playa buena está al final —explicó el niño.

Hacía un sol del demonio y nuestras sombras se aplastaban contra el suelo. Al llegar a la calzada del paseo, nos acodamos en la baranda. En la playa había varios quitasoles con mujeres, nodrizas, chiquillos. La orilla estaba cubierta de algas y la arena era gruesa y negra.

—¿Son veraneantes?

—Sí.

—¿Hay muchos?

—Unos pocos —el niño hizo una mueca—. Mejor que no hubiera ninguno.

—¿Por qué?

Paco caminaba con las manos hundidas en los bolsillos, con la cabeza siempre gacha.

—Para lo que gastan... —Señaló un bar, completamente vacío—. Vienen de Madrid a aquí a ahorrar. —Se corrigió—. A lucir barato y a humillar a los otros.

Un grupo de pescadores aprovechaban la sombra del hogar y fumaban en silencio, aconchados a la pared. Al pasar nosotros, contemplaron atentamente a Dolores.

—El puerto —se limitó a decir el niño.

Docenas de barcas flotaban sobre un agua intensamente azul y un penetrante olor a salmuera y a brea me hizo latir el corazón más aprisa.

—Creo que me quedaría a vivir aquí —exclamó Dolores.

Precedidos por el niño caminamos con la mirada fija en los faros de las pesqueras, las cestas apiladas en el muelle y los viejos afanados en el remiendo de las traíñas. Un poco más lejos, había un chiringuito con varias mesas de madera, protegido del sol por un cañizo, y el camarero —un chiquillo— dio los buenos días a Paco.

Al otro lado —en el centro de una gran explanada— se elevaba una especie de plaza de toros, vieja y descolorida por el sol. Detrás de ella, el carromato de unos feriantes parecía languidecer en el polvo, y una melancólica columna de humo brotaba de su chimenea de latón.

—¿Qué es esto?

—Un circo. Hace casi un mes que para aquí.

—¿Es bueno?

—¡Qué va! —El niño repitió la mueca de antes—. Muy malo. Dio sólo una función, y no fue nadie.

Una mujer teñida de rubio se asomó por una de las ventanas, bebió un sorbo de agua de un botijo y la escupió.

—Están en el pueblo porque no pueden pagar el transporte —dijo Paco, leyéndome el pensamiento. Se detuvo un instante y añadió, casi en voz baja—: Para mí, que se quedarán toda la vida.

Atravesamos el espigón, bajo un pequeño túnel. Al otro lado, la vista del pueblo desaparecía por completo y la playa se extendía sin fin, chata y amarilla.

—Es aquí. Nunca viene nadie.

Dolores se quitó inmediatamente la ropa. Antes de tumbarse, sacó la crema del bolso y se frotó concienzudamente el cuerpo. Luego embadurnó también el mío y extendió el albornoz sobre la arena.

Habíamos ido hasta aquel pueblo para tostarnos, embrutecernos y descansar. El sol pegaba duro sobre la piel y sentí su lengüetazo tibio en los párpados.

Paco se había sentado en cuclillas, algo más lejos y antes de abandonarme del todo, le pregunté:

—¿De qué vive la gente aquí?

Se entretenía en escurrir la arena entre sus dedos y no levantó, siquiera, la cabeza:

—De la pesca.

—¿Y tú? —Me extendí boca arriba y cerré los ojos—. ¿Qué quieres ser?

Su respuesta, esta vez, llegó en seguida:

—Mecánico.

Me dormí. Tenía conciencia de que, al cabo de unas horas, olvidaría la fatiga del viaje y no deseaba otra cosa que cocerme lentamente, cara al sol.

En una o dos ocasiones, me desperté y vi que Dolores dormía también.

Con la vista perdida en el mar, Paco hacía escurrir aún la arena entre sus dedos.

II

Volvimos a las tres. La muchacha nos hizo pasar a una habitación, a la izquierda de la gran sala y, sin abandonar su sonrisa beatífica, la madre sirvió la comida.

Habíamos olvidado ya la insipidez de la cocina andaluza y devoramos la olla de prisa, casi sin masticar. No había vino, y el que fue a buscar Paco resultó tibio, zurraposo y aguado. La muchacha trajo aún pescadilla frita y una torta casera. Con el cerebro vacío, contemplé las figurillas de loza del aparador, el mosquero, un cromo en colores de la Virgen del Mar. El bochorno de la hora era insoportable y el aire parecía haberse estancado. Al fin, la chica se presentó con la fruta y subimos a descabezar una siesta.

Al bajar —dos horas más tarde— la madre dormía en la mecedora y Manuel daba vueltas por la sala, el paso lento, roncero.

—¿De paseo?

—Sí.

—Si van hacia el puerto, voy con ustedes.

Aceptamos. Fuera, Paco, montaba guardia al coche, sentado encima del guardabarros. Al vernos, inclinó la cabeza y vino a nuestro encuentro.

—Está sucio —dijo.

—Sí.

—Si quieren, le quito el polvo.

—Casi no merece la pena —dijo Dolores—. Se ensucia otra vez en seguida.

—Da igual. Si se ensucia, vuelvo a limpiarlo.

El niño desapareció por el zaguán. El sol se inclinaba ahora hacia el horizonte y comenzaba a soplar la brisa. La fuente de la plazoleta estaba seca y Dolores la señaló con un ademán.

—¿No mana?

—No. Sólo la venden hasta las tres... Por las tardes, la cierran.

—¿La venden?... ¿Quién?

—Los del Ayuntamiento. Aquí no llueve nunca. A veces pasan meses sin que caiga una gota. Y no hay agua.

Los madrileños echaban una partida de cartas en la heladería del Paseo. Las muchachas iban pintadas y calzaban zapatos de tacón. La mayoría de los jóvenes vestían de blanco y llevaban zapatillas con suela de goma, como para jugar al tenis. Al alejarnos, repetí a Manuel la frase de Paco.

—Dice que vienen a ahorrar.

—Es verdad. —Hablaba con contenida irritación—. Se toman un mantecado o un café, y se quedan en su sitio, plantados. —Mostró un edificio chato, con la puerta atrancada—. Yo trabajaba de camarero allí. Venían, se sentaban y no querían consumir. Y, si consumían, luego no pagaban. —Escupió en el suelo—. Todo se les va en labia y guapura... El dueño tuvo que cerrar.

Dolores le preguntó qué hacía ahora.

—Nada —repuso él—. Estoy parado.

—¿Y en el puerto?

—Mi padre se ahogó hace seis años, y madre no me deja.

Sentados en la cinta de la acera, los pescadores aguardaban el momento de partir. Algunos saludaron irónicamente a Manuel y le guiñaban el ojo a causa de Dolores.

—¿A qué hora embarcan?

—Depende. A las cinco y media... A las seis... En verano la mar es buena y salen cada noche...

No es como en invierno... Si usted pasa por aquí, les verá todo el día frente al Hogar Sindical, esperando. Las mujeres vienen también con sus críos. La marejada es fuerte y no pueden embarcar.

Bajamos al muelle. La brisa soplaba muy fresca y el mar comenzaba a escarolarse. La tripulación de un pesquero se preparaba para salir. Sobre la cubierta de otro, un hombre cebaba los anzuelos de un palangre.

Manuel se dirigió a un viejo sentado en un bolardo y cambió unas palabras a media voz. Volvió en seguida —las manos en los bolsillos— para decirnos que nos alquilaba su bote por dos duros.

—Si ustedes quieren, les llevo fuera del espigón.

Dolores aceptó por los dos. Di los duros al viejo y saltamos a bordo de la barca. Antes de remar, Manuel verificó el ajuste de los toletes. Dolores y yo nos sentamos frente a él, en la popa. Después del bochorno de la jornada, el viento resultaba muy agradable. El sol se aproximaba a la cresta de los montes y, a contraluz, el pueblo se difuminaba en escorzo. El pesquero nos atrapó mientras doblábamos la baliza y los hombres repitieron sus pullas a Manuel.

—¿Dónde se meten las mujeres? —preguntó Dolores cuando pasaron—. En la calle no se ve ninguna.

—En sus casas. —Al remar, la nuez le sobresalía en el garguero—. La que sale fuera es mal vista.

—¿Y las solteras?

—Casadas o solteras. Es lo mismo.

El viento arreciaba y Dolores quiso turnarle en los remos. Manuel protestó al principio pero acabó por ceder, en vista de que ella insistía. Una gaviota voló sobre nuestras cabezas. Poco a poco nos acercábamos a la playa en donde habíamos estado con Paco. Al ganar la orilla Manuel saltó a tierra y ayudó a bajar a Dolores. Con el cuerpo algo entumecido, me sentó al lado de ella, cara al mar, mientras el chico varaba el bote en la arena.

A medida que se avecinaba el crepúsculo, el sol se tornaba cada vez más rubio e impregnaba el paisaje —las ruinas de la fábrica, el mar, y la playa sin fin— de una luz leonada, como polvorienta. Después del paseo, me sentía en excelente forma física y, brazo contra brazo, Dolores y yo comparamos nuestros morenos respectivos. La presencia de Manuel —como la del niño por la mañana— no nos pesaba en absoluto. En el bote había observado que, al hablar, nunca miraba a Dolores y, como muchos hombres del sur, no lo hacía, en modo alguno, por timidez. La mujer de otro no existía, para él, como mujer: se convertía en algo remoto, prohibido.

Cuando vino, señalé el edificio en ruinas y pregunté qué era. Con la mirada ausente, tardó unos segundos en contestar. Había sido una fábrica de conservas, dijo. El pueblo fue rico durante una época y tuvo mucha industria. Una compañía extranjera explotaba las minas de Herrrías y Los Gallardos y, todas las semanas, los barcos venían a cargar el mineral. En el pueblo se vivía bien, entonces. Había trabajo, y la gente no tenía que emigrar.

Ahora, en cambio, todos los jóvenes se iban. Había paro, se ganaba una miseria y, los que podían, se largaban a Barcelona, a Francia, a América —a las cinco partes del mundo—. Los otros se pasaban la mitad del año sin trabajar, esperando alguna chapuza. En el puerto se les veía todo el santo día de arrimón y, si las tiendas no querían fiarles, debían andar a la briba. Un invierno en que hubo mar fuerte, varios hombres robaron la huerta de don Ambrosio. El dueño les denunció a la guardia civil y les molieron a palos. Uno de ellos

—un viejo— se ahorcó al volver a su casa y los curas no quisieron enterrarle.

Cada año, los diarios prometían una política de Obras Públicas, un pantano y otras muchas cosas más. Venían delegaciones, desde Madrid, con planos, ingenieros y topógrafos y, en la sala del Ayuntamiento, se les obsequiaba con un banquete. A la salida, los niños de la escuela cantaban un himno en su honor. Pero —en seguida— se iban con sus planos, topógrafos e ingenieros, y ellos —los pobres— seguían igual que siempre.

—Y en todos los pueblos de por aquí pasa igual —concluyó Manuel—. En Lubrín, en Cuevas, en Vera, en Turre... El que puede, emigra, y el que no, baja la cabeza y se muerde los puños de hambre...

Dolores y yo asentimos en silencio. El sol había trasmontado mientras hablaba y un nimbo rojizo coronaba el perfil de la tierra. Las gaviotas volaban a ras del suelo y el viento soplaba, cada vez más fuerte.

—Cuando acabe la mili, me largaré también —dijo aún Manuel—. Mi madre no quiere, pero me da igual. Un día haré las maletas de verdad, y no volverá nunca a verme.

III

Cuando llegamos al puerto, anochecía. La baliza del espigón hacía parpadear su luz verde y el altavoz del cine machacaba una musiquilla pegajosa. Durante el retorno, Manuel había permanecido callado, como arrepentido de su locuacidad de antes y, aunque al bajar le invitamos a beber una copa, prefirió esquivarse en compañía de unos amigos.

Durante unos minutos anduvimos por el Paseo sin rumbo. Era demasaido temprano aún para ir a cenar y no sabíamos qué hacer para aliñar el tiempo. Los madrileños seguían jugando a cartas en la heladería y, cuando pasamos, cambiaron unas palabras, en voz baja. Al llegar frente al Ayuntamiento, dimos media vuelta. La noche era fresca y nos encaminamos hacia la explanada en donde había ido a varar el circo.

El chiringuito estaba pobremente iluminado con farolillos de colores y nos sentamos en la única mesa libre. Al lado de nosotros, un hombre de mediana edad discutía con dos mujeres; más lejos, un grupo de pescadores charlaba en animada tertulia. El niño camarero se presentó en seguida a servirnos. Dolores pidió una botella de vino y doble ración de tapas. Mientras bebíamos, examinamos la posibilidad de comprar una casita en el pueblo, de establecernos allí para siempre, de prohijar a Paco. La vida sedentaria que llevábamos nos aburría, y decidimos cambiarla. Aquel pueblo era un refugio ideal, a lo menos para una gran parte del año. En adelante, pasaríamos seis meses allí y, el resto, de viaje...

En la mesa vecina, el hombre discutía con una de las mujeres. Era medio calvo, grueso y vestía con gran descuido. El niño le había traído otro litro de vino y se servía constantemente.

—Lo que diga Mirco se me importa una higa —murmuraba con voz estropajosa—. Yo soy el jefe, y yo mando.

—Jefe, jefe, dale con jefe... ¿no sabes decir otra cosa?

—Soy el amo de todo... De todo...

—Pues si lo eres, demuéstralo... Estoy harta de pudrirme en este pueblucho.

—El circo renacerá otra vez —dijo el hombre—. Recorreremos toda Andalucía...

—Como no sea a pie... Ningún transportista querrá fiarte. —La mujer elevó el tono de voz—. Además, si te fían, primero has de pagar los atrasos.

—Pagaré a todo el mundo y, si es preciso, el doble.

—¿El doble, sólo? ¿Y por qué no el triple?

—Yo no soy una sucursal de Banca. —El dueño bebía directamente de la botella—. Soy un artista.

—Un degraciao, eso es lo que eres... Valiente mierda tu circo y todas tus medallas... De no haberte hecho caso, tendría trabajo, yo... Alvaro me lo ofrecía. Y Solana... Estaría en el Club del Mar. O en Torremolinos.

—El mes próximo actuaremos en Málaga.

—Anda... Cuéntanos ahora una de bandidos...

—Conozco a Mercader, el del Apolo. Hace años trabajamos los dos en Lisboa. Si le escribo, nos sacará del apuro.

—Pues, hala, ¿qué esperas? —gritó la mujer— ¿que vaya a buscarte una pluma?

—He conocido baches peores que éste y he vuelto a salir a flote.

—Sí, sí, eres un gran hombre... Todos los empresarios del mundo se te disputan...

—Sí, señora. Aunque te rías...

—Pues claro que me río. Conozco el disco de memoria: Lisboa, Casablanca, Marruecos francés y el Sultán que vino a abrazarte. —Apuntó con el dedo, hacia nosotros—. Cuéntaselo a esos señores, pero no a mí. Yo ya estoy harta.

—Saldremos del pueblo y volveremos a actuar. —El dueño giró ligeramente la silla para mirarnos—. Un día se acabará la mala suerte.

—¿Un día? ¿Qué día? ¿De aquí a diez meses? ¿O aguardas a que todos estemos calvos?

—He escrito al Recreo de Almería. Me enviarán a Aurorita y a las otras. Arrancaremos con un nuevo número.

—Créelo —repuso la mujer—. Nadie vendrá si no le pagas por adelantado. No serán tan imbéciles como yo, para aceptar sin garantías.

—Les abonaré después de la función, como a todos.

—El alcalde no te dejará salir.

—Te digo que pagaré a todo el mundo.

Había vaciado también la segunda botella, y pidió otra. A su izquierda, la mujer encendió un Bisonte con ademán ofendido. Era morena, flaca, y llevaba una blusa de seda blanca, muy prieta.

—Antes de una semana, estaremos fuera del pueblo —dijo, aún, el dueño.

Ella se encogió de hombros. Sus labios se movieron como para hablar, pero cambió de opinión.

—Bueno; yo me largo.

—Aguarda —exclamó su compañera—. Que voy contigo.

Era más baja que la otra, rubia y entrada en carnes. Los pescadores las miraban codiciosamente y se arregló el pelo, con coquetería.

—Como vuelvas otra vez borracho —amenazó al marcharse—, te cerraré con el pestillo.

El hombre cogió la botella por el gollete y se atizó un nuevo trago. Tenía el rostro empapado de sudor e hizo tabalear los dedos sobre la caña de sus botas.

—La gente de hoy, sólo se interesa por lo vulgar —dijo, dirigiéndose a nosotros—. El cine, todos los días al cine... El trabajo de artista no cuenta...

La lengua se le trababa al hablar y miró en torno, lleno de irritación.

—Tenía ofertas de Algeciras, de Tánger, de Marruecos, y preferí venir aquí... Me habían dicho que en este pueblo gustaba el arte y ya ve usted... Un sacrificio inútil... Como arrojar margaritas a los puercos...

Estaba demasiado bebido para continuar y ocultó la cabeza entre las manos. El niño-camarero iba y venía con las botellas y, al pasar cerca nuestro, guiñó un ojo.

—No le hagan caso... Todos los días está así.

Luego, el reloj del Ayuntamiento dio las nueve. Era la hora de volver y nos levantamos.

IV

La cena resultó tan insípida como la comida y la despachamos de prisa, deseosos de ir a la cama. El colchón de muelles era bastante incómodo pero la fatiga del viaje me hizo dormir de un tirón. Cuando desperté, Dolores vaciaba el agua de la jarra en la palangana y, por los postigos entornados, entraba un rayo de luz.

—¿Qué hora es?

—Las nueve y media.

Habíamos decidido aprovechar la jornada de sol hasta el máximo y, concluido el aseo, nos pusimos el bañador. Abajo, la madre nos ofreció un bol de leche y un corrusco de pan. Tenía la cocina muy limpia, con los cazos colgados de la espetera y la vajilla bien ordenada en el vasar. Mientras comía, me entretuve en observar la cántara del agua y las estampas clavadas en las paredes: dos etiquetas de Dátiles El Monaguillo y un cromo en colores del Sagrado Corazón.

Al poco, el niño vino a darnos los buenos días. Había limpiado el coche de cabo a rabo, dijo. Estaba lleno de polvo y barro y suciedades y, después del baño, no parecía el mismo.

Salimos a mirar para complacerle. El sol daba ya sobre el techo y los cristales lavados reverberaban.

—Magnífico —dije—. Ha quedado como nuevo.

—Sí. Casi da vergüenza ensuciarlo.

La madre nos explicó que se había levantado a las siete y se había pasado fregando más de dos horas.

—Le vuelven loco los automóviles —dijo.

Paco soportaba las alabanzas, con la mirada absorta.

—Por dentro hay mucho polvo, también.

—Es igual. Ya está muy bien así.

—Si me dan la llave, mañana lo limpiaré.

Se lo prometimos. Dolores quería ir a una playa algo alejada y, después del desayuno, subimos al coche. En la fuente, había la cola de mujeres con aguaderas y borricos y nos miraron en silencio mientras Dolores ponía el motor en marcha.

Desde la puerta, la madre y Paco hicieron adiós con la mano.

—Deberíamos haberle invitado a venir.

—Son muchas horas —dije—. Se aburriría.

—Tienes razón. Se lo propondremos esta tarde.

A la salida del pueblo, topamos con una pareja de civiles: uno de ellos, con el tricornio ladeado, liaba un cigarrillo con flema; el otro escudriñaba el horizonte, con las manos apoyadas en la abrazadera del mosquetón. Más lejos, un castillo medio derruido hacía las veces de Casa-Cuartel; una columna de humo brotaba de una de sus ventanas y el viento estremecía la bandera desplegada en la torre. A partir de entonces, la carretera discurría al borde del mar, sobre riscales contra los que el oleaje se estrellaba con furia y calas cubiertas de gravilla, negras y desoladas.

El sol se elevaba hacia el cenit y el suelo humeaba a causa de la calina. Una bandada de cuervos graznaron a nuestro paso. La tierra de los campos estaba reseca y las colinas se desdibujaban, surcadas de badenes, como agrietadas. La vegetación era pobre, raquítica: olivos viejos, nudosos, cargados de años; arbustos achaparrados y esqueléticos, chumberas. Un asno con los ojos vendados giraba alrededor de una noria y, aquí y allá, entre el polvo del camino, se veían mujeres montadas en borricos, con botijos de agua y cántaros.

Después, el paisaje se humanizaba un poco. Una extensa zona cultivada, protegida por bardales, rodeaba un lejano edificio de estilo colonial, residencia de algún propietario rico. La playa se volvía otra vez amplia y arenosa, y Dolores detuvo el coche al borde de la cuneta. A media docena de kilómetros del pueblo, era el lugar ideal para tomar el sol desnudos. La gente no nos podía ver desde la carretera. La arena formaba pequeñas dunas, tras las que se quedaba perfectamente al abrigo.

En traje de baño ya —pero con alpargatas— corrimos hacia la playa, bajo el impacto despiadado del sol. De trecho en trecho, las tueras crecían en mitad de la gándara, ofreciendo al sediento la tentación de sus redondos —amarguísimos— frutos. El mar chocaba sordamente contra la arena y en el cielo no había una nube. Al fin, elegimos un sitio junto a la orilla, y Dolores extendió el albornoz.

Se perdía la noción del tiempo. En la fonda, había metido en el bolso un par de novelas francesas, que no intenté siquiera leer. Repetidas veces, nos zambullimos en el mar y nos secamos, nos zambullimos y nos secamos de nuevo. Dolores se untaba continuamente el cuerpo con crema, y me había contagiado la manía a mí. Nos reíamos sin saber por qué y comparábamos nuestros morenos. Nuestra existencia anterior, en el piso de Barcelona, nos parecía absurda. Había que anclarse definitivamente allí, pasar la vida entera desnudos, al borde del agua.

Cuando nos dimos cuenta eran más de las dos. Nos pusimos de pie, vacilantes y, al inclinarme a recoger el bolso, descubrí la cabeza de un chiquillo entre las dunas, redonda y atenta, lo mismo que una máscara. La cabeza desapareció en seguida, como tragada y, lentamente, emprendimos el regreso hacia el coche.

La playa entera humeaba de calor. El sol había alcanzado el cenit y soplaba la brisa. Una mujer embozada, montada en un borrico, atravesó la carretera. Irreal y borrosa —como una alucinación de los sentidos— la silueta del niño fugitivo se empequeñecía en la distancia.

V

En la fonda nos esperaba otro pescado al horno, el inevitable cocido y un nuevo clarete tibio y zurraposo. Para consolarnos, repasamos la lista de nuestros platos y vinos preferidos: Castell del Remey, Butifarra de La Garriga, Salpicón de mariscos... Marqués de Riscal, Romescu, Valdepeñas... Zarzuela, Cune, Fabada Asturiana... La aparente bondad de la madre fue sometida a examen. Dolores dijo que se debía desconfiar de la gente que despreciaba las artes culinarias y yo me entregué a una larga disertación sobre la cocina de los pueblos subdesarrollados.

Como el día anterior, subimos a echar una siesta. La hermana de los chicos debía ir a Vera, a visitar unos parientes y Dolores se ofreció a llevarla en el coche, con Paco. Yo prefería pasear por el pueblo y me cité a las cinco, con Manuel.

Cuando me desperté, Dolores se había marchado ya. El reloj marcaba las cinco y veinte y bajé, en busca del muchacho. Lo encontré sentado en el escalón de la entrada, leyendo una novela del FBI. Al verme, se desperezó.

—¿Ha leído usted *Abrazo Trágico?* —dijo.

Miré la cubierta, y repuse que no.

—Es un libro de esos de aventura, con mucha acción... Aquí, suelen gustar.

Lo dejó detrás de la puerta y se sacudió el polvo.

—¿Dónde quiere que vayamos?

Expliqué que sólo deseaba estirar las piernas y se me daba igual un sitio que otro.

—¿Le han enseñado ya el barrio de los gitanos?

—No.

—Entonces, podemos ir a verlo.

Atravesamos la calzada frente al aguaducho y subimos por una calle, perpendicular a la carretera. Las casas de aquel sector estaban medio en ruinas y, algunas, apenas si conservaban las paredes. A medida que aumentaba la altura, se podía ver el mar —blanco y azul— y los tejados —de un color terroso y ocre—. Un barco navegaba junto a la línea del horizonte. Más cerca, se adivinaba la silueta triangular de un velero.

—Los gitanos viven arriba, en la chimenea —explicó Manuel.

Se había detenido a mitad de la varga y apuntaba con el dedo, hacia la cima.

—¿Hay muchos?

—Muchos —repuso—. Lo menos trescientos.

Dejamos atrás las últimas casas en ruinas y trepamos por unos bancales sucios y malolientes. Dos niños perseguían a un perro con una caña y, al vernos, corrieron a ocultarse tras las chumberas. Una gitana con un chiquillo rubio y un viejo cargado con un saco de papeles dieron las buenas tardes a Manuel.

—¿Los conoces? —pregunté.

Manuel esbozó un ademán con los hombros.

—Aquí hay costumbre de saludarse.

Sin darme cuenta, habíamos coronado el teso de la colina y contemplé la hilera de puertecillas que horadaban el canal de la antigua fundición. A pesar de su exiguo diámetro, los gitanos vivían dentro de él, cada familia en una sección de tubo. El sol no se había quitado aún y las mujeres preparaban la cena al aire libre.

Vi varios niños corriendo, entre los escombros, y otro con el vientre hinchado, desnudo. Manuel caminaba delante de mí y saludaba a cada uno por su nombre.

—Adiós, Tomás... Adiós, Gabriel... Adiós, José...

En una de las puertas se detuvo a hablar con un coloso de casi dos metros, de pelo híspido y pinta de moro. Manuel le preguntó por la familia y le estrechó calurosamente la mano.

—¿Y éste? ¿Quién es?

—Un amigo.

El gitano me ofreció de fumar. Tenía una niña abrazada a las piernas y, al despedirnos, la cogió entre los brazos.

—Es Jaspe, el hombre más fuerte del pueblo —dijo, luego, Manuel—. Cuando mi padre se ahogó lo llevaba con él, en la barca.

El canal torcía hacia la carretera, siguiendo la cresta de la colina y pasamos tras una hermosa mansión de dos pisos, rodeada de árboles. Don Ambrosio —el amo de la huerta— vivía allí, con su hija: una chica guapa, como no había dos en la provincia, con las trenzas del pelo muy rubias y la piel fina y muy blanca. Todos los hombres del pueblo estaban enamorados de ella y, por este motivo, don Ambrosio no la dejaba salir a la calle.

—Y para mí, que el viejo lleva razón —concluyó Manuel.

—¿Por qué? —quise saber.

El chico amorró la cabeza al hablar.

—Con la mala leche que corre podría ocurrirle algo.

—En todos lados puede ocurrir algo a una muchacha —repuse.

—Pues aquí, aún más. —Señaló un coro de hombres que conversaban junto a la carretera—. Aquí no vienen francesas como a otros pueblos. Sólo alguna marmota, y de vez en cuando. La gente se casa tarde y los hombres callejean de un lado a otro, lo mismo que perros...

—¿Y las mujeres? —dije.

—No salen de sus casas. No hay baile y no podemos siquiera tocarlas.

Habíamos llegado a la carretera y seguimos adelante, por un camino de carro.

—¿Y prostitutas? —pregunté—. ¿No hay ninguna?

Manuel hizo un gesto evasivo.

—Había...

—¿Había?

—Sí. Una casa pequeña... allí abajo.

Escupió en el suelo y señaló hacia la iglesia, con un dedo.

—Un día, los curas dijeron que era pecado, y la cerraron.

VI

Habíamos llegado al puerto y nos sentamos en el chiringuito. El dueño del circo estaba allí, acodado en la barra del bar y me examinó durante unos segundos, como preguntándose quién era. Debió reconocerme, finalmente, pues inclinó la cabeza e hizo un gran saludo con la mano.

En la mesa vecina había un hombrecillo con la nariz corva y la rubia del otro día. Siguiendo la mirada del dueño, se volvieron y saludaron también.

—¿Los conoce? —susurró, a mi oído, Manuel.

Bajando la voz, le resumí la escena de la víspera.

—La rubia, dicen que es su mujer —me explicó.

—¿Y la otra?

—No lo sé.

—Es una morena, delgada...

—Entonces, puede que sea la puta...

Me contó que uno del pueblo la había conocido de pupila, en una casa de Alicante.

—La otra noche le ofreció cinco duros, y ella se puso furiosa... Ahora se las da de honrada...

El niño trajo una botella de vino. Se había levantado la brisa y las banderas de papel del chiringuito se estremecían.

—Hace la mar de tiempo que están así —dijo Manuel—. Deben dinero a todo el mundo. Hasta al alcalde...

—¿Y la gente? —pregunté—. ¿Por qué no va a verles?

—El dueño es un incapaz y el espectáculo que trajo era una porquería... Creía que como el pueblo es pequeño nos iba a engañar. Pero la gente se dio cuenta en seguida y no picó nadie...

El tiempo transcurría insensiblemente. Manuel hablaba de vez en cuando, como por ráfagas de pasión contenida, y yo le hacía preguntas acerca del pueblo, su vida, sus proyectos de trabajo. Los baños de sol y el amor de antes de la siesta abrían como una maravillosa tregua de paz, durante la que apenas sentía el cuerpo. Retrepado en el asiento, contemplaba el mar, las barcas de pesca, la gente que deambulaba por la calle. Habíamos acabado la botella, y pedí otra. El vino me adormecía sin emborracharme y sentía la proximidad de la noche, lo mismo que un vértigo.

Cuando llegó Dolores, oscurecía. Dijo a Manuel que la madre lo reclamaba para cortar leña y se dejó caer en la silla, con ademán de cansancio. Nos explicó que había dado a Paco la llave del coche y el niño lo estaba limpiando con la bayeta y un cubo.

Al quedarnos solos —Manuel se había ido a la fonda—, hablamos de las ventajas e inconvenientes del campo con respecto a la ciudad. La ciudad era insoportable por la mañana pero, de noche, resultaba más divertida. En el campo, lo mejor era levantarse temprano, para aprovechar hasta el máximo la jornada de sol, y acostarse en seguida, en cuanto anochecía. Convinimos en que a la larga, debía de ser tan embrutecedor como la ciudad y que lo ideal sería ir de un sitio a otro, sin fijarse en ninguno.

El día siguiente, tomamos el desayuno a las nueve y, en un coche otra vez inmaculado, volvimos a la playa de la víspera. El mar se confundía con el cielo en la línea del horizonte y la arena estaba ondeada, como la superficie de una fotografía húmeda. Permanecimos largas horas en la orilla, enteramente desnudos. Dolores había visto una medusa mientras nadaba y no nos atrevíamos a alejarnos demasiado. A un centenar de metros, se pudría el cadáver de un animal ahogado y una banda de cuervos volaba a su alrededor, trazando círculos.

Nuevamente, perdimos la noción del tiempo. La playa se extendía sin fin, blanca y desolada. Entre las algaidas y las dunas, emergían, como salpicones de color, las palas redondas de las chumberas. Estábamos aislados del resto del mundo y escuchábamos el ruido sordo de las olas al estrellarse contra la orilla. Las colinas se difuminaban a lo lejos, calcinadas y humeantes, y una cadena de montañas aprisionaba el horizonte hacia el sur, reduciendo el paisaje a cielo, mar y arena.

Cuando despertamos, el chiquillo de la víspera estaba allí, acompañado de otro muchacho. Esta vez no se movió de donde estaba y sostuvo nuestra mirada sin pestañear. Resignada, Dolores volvió a ponerse el bañador. Los niños la observaron aún largo tiempo y, al fin, se alejaron hacia la carretera brincando.

Por la tarde, salimos a pasear por el pueblo. La comida en la fonda fue insípida como de costumbre y habíamos dormido una larga siesta. En el chiringuito vimos al dueño del circo, silencioso y nostálgico, con la vista perdida en el horizonte. Manuel nos contó historias de tiempos de la guerra: un barco alemán había bombardeado la costa, los rojos habían matado al cura. Cuando nos levantamos eran más de las diez y todo el mundo se había ido a cenar. Acodado en una mesa, siempre solo, el dueño del circo seguía soñando frente a su botella.

Al otro día, tuvimos que cambiar de playa. Una banda de mozalbetes se había instalado en la nuestra, cuando llegamos y Dolores continuó por la carretera, varios kilómetros más lejos. Pero el mar estaba allí lleno de medusas y no nos pudimos bañar. Desalentados, regresamos antes de la hora a la fonda en donde, con una sonrisa imperturbable, la madre nos sirvió su comida.

Sabíamos ya el programa de la jornada y comenzaba a aburrirnos. Estábamos en el pueblo como entre los muros de una cárcel. La cola de las mujeres con las aguaderas, los madrileños avarientos, los pescadores interesados por las piernas de Dolores —el decorado se repetía todos los días.

Dormimos la siesta y fuimos al chiringuito. Y el dueño del circo estaba allí, oteando el mar y las artistas discutían en la mesa vecina. Decidimos largarnos. La idea nos vino al mismo tiempo a los dos y, apenas formulada, nos sentimos como liberados de un peso terrible. Veríamos otras regiones, otras gentes, otros paisajes. Manuel había definido el pueblo como una prisión de la que todo el mundo soñaba escapar y, acodados ante una vieja guía de carreteras, trazamos el itinerario de la huida. La mañana siguiente, al levantarnos, Paco nos dio la noticia.

—El sábado próximo habrá función.

—¿De qué?

—De circo. Ha venido otro camión, desde Granada. Y dicen que traerán un novillo.

—¿Un novillo? ¿Para qué?

—Para torearlo. Una cuadrilla de mujeres —se corrigió—. Bueno, matarlo, no lo matarán. Pero lo capearán y le pondrán las banderillas...

—¿Cómo lo sabes?

—Hay un gran cartel en la plaza... Si quieren verlo les acompaño.

—Habría que ir... —comencé.

—Cuando nos marchemos —me cortó Dolores, temiendo una modificación de nuestros proyectos—; nos coge de camino...

—Entonces, subiré en el coche, con ustedes. Está junto al circo, al final de la plaza.

Teníamos cerradas las maletas y nos despedimos de todos. La noche anterior, al comunicar nuestra súbita partida, nos sentíamos vagamente culpables y habíamos prometido pasar por allí otra vez, durante el trayecto de retorno. Dentro del coche ya, renovamos nuestra promesa y anunciamos el envío de un telegrama.

—Adiós —dijo Dolores—. Hasta la vista.

La familia se había reunido ante el umbral de la puerta y la madre habló, en nombre de todos.

—Vayan ustedes con Dios... Hasta pronto.

En la segunda bocacalle torcimos a la derecha. El paseo estaba desierto, a causa del sol, y nos detuvimos frente al chiringuito, al comienzo de la explanada.

—Miren —dijo Paco, cuando nos apeamos.

Habían fijado el cartel en la pared de la escuela y nos paramos los tres delante.

Aviso al Público

Sábado próximo
a las nueve treinta

GRAN CIRCO INTERNACIONAL SILBANO

Medalla de Oro de S. A. I.
el Sultán de Marruecos

Programa SENSACIONAL — Serie NUEVA

CONCHITA — la supervedete de la canción.

Los incomparables trapecistas MIRCO y LEDA

El genial SILBANO y sus perros amaestrados
EL CARRUSEL de la FANTASIA
y
Presentación triunfal de la aplaudida
cuadrilla, única en el mundo
de
SEÑORITAS TORERAS

Se capeará, banderilleará, un PRECIOSO
torete de dos yerbas de la renombrada
ganadería de la Señora Marquesa de
Fuente el Sol, vecina de Morella.

LA SIMPATICA Encarnación Tomás, AURORITA.

La ARROJADA Julia Simó, ESTRELLA

PRECIOS:

Palco	15 ptas.
1.ª fila y Preferencia	10 »
General y niños	5 »

NOTA: Finalizado el espectáculo se sorteará un GRAN LOTE de REGALOS entre el distinguido público.

—¿Qué te parece? —dije a Dolores.

—Formidable —repuso—. Casi me dan ganas de quedarme.

—A mí también.

En silencio, contemplamos el equipaje apilado en el portamaletas del coche.

—¿Cuántos días faltan, hasta el sábado?

—Tres —dije.

—¿Tres?

—Sí. Estamos a miércoles.

Hubo una pausa y Dolores murmuró:

—Es demasiado.

—Sí —admití yo—. Es una verdadera lástima.

El circo parecía tentarnos, en medio de la explanada desierta, y bajé los ojos.

—¿Vamos?

—Vamos.

Nos despedimos de Paco, y Dolores puso el motor en marcha.

VII

Viajamos. Durante quince días, recorrimos los pueblos de Almería y Granada —Albox, Purchena, Baza, Guadix— para bajar luego hacia la costa —Motril, Adra, Castell de Ferro, Almuñécar—. Y el decorado era siempre el mismo: montañas, colinas, navas, humeando bajo un sol de plomo; guardias civiles apostados en las encrucijadas y caminos; peones sin trabajo, niños, borricos con aguaderas. La carretera estaba plagada de baches y avanzábamos penosamente, envueltos en una nube de polvo. De vez en cuando, si nos sentíamos fatigados o el paisaje era agradable, nos deteníamos a descansar. Cerca de Albox vagamos por las calles de un caserío suspendido sobre una hoya. Las casas tenían las puertas y ventanas atrancadas y, en torno a la espadaña de la iglesia, rondaba una banda de cuervos.

Entre Baza y Guadix, comimos ternera con garbanzos, en un ventorro, a la orilla de la carretera: dos almiares de paja amarilla relucían al sol; las parvas estaban apiladas en el linde del haza y una cuadrilla de peones batían el trigo con sus bieldos.

Al llegar a Motril, bordeamos la costa, en busca de playas desiertas. Finalmente nos instalamos en una, cerca de Torrenueva, y tomábamos el sol desnudos, ocultos entre las rocas. Los baños repetidos habían curtido y bronceado nuestra piel, y parecíamos casi dos negros. Pero los niños nos descubrieron al tercer día y tuvimos que ir a otro lado.

Varias veces, al llegar por la noche a un pueblo, juramos acabar nuestra vida en él y, al día siguiente, lo abandonamos, expulsados por el hastío, el calor, la mala comida. Poco a poco, empezábamos a conocernos y nuestra volubilidad nos hacía reír. Los lugares en que deseábamos vivir —como los niños que hubiéramos querido prohijar— eran perfectamente sustituibles y, pasado el primer movimiento de entusiasmo, nos fatigaban en seguida.

Desde hacía casi un mes, estábamos sin noticias de los amigos y, un buen día, decidimos ir a recoger la correspondencia a la lista de correos de Granada. Dolores tenía once cartas y yo seis: una participación de boda, la muerte de una tía —«Reconfortada con los Auxilios Espirituales», rezaba la esquela— y, el resto, protestas y quejas indirectas de todos: en Tossa se estaba mejor que nunca, Pepín había abierto un bar para las alemanas, Bebé tenía amores con un pescador y el cura había puesto un altavoz en el Paseo y anatematizaba a los fieles que no iban a la iglesia.

Sentados en un restorán de La Alcaicería, las leímos y releímos de cabo a rabo, y la nostalgia de todo lo que habíamos dejado —los bares, las costumbres, los amigos— acabó por empaparnos. Nadie se explicaba el porqué de nuestra huida. Se nos tachaba de orgullosos, egoístas y excéntricos. Gloria pretendía, con seriedad, que acabaríamos en La Cartuja y, lleno de santa indignación, Alejo amenazaba con venir a buscarnos.

—Comienzo a estar harta de todo esto —dijo Dolores, abarcando la calle con un ademán—. La gente primitiva me aburre.

—Sí —admití yo—. A la larga, resulta fastidiosa.

Acordamos volver por pequeñas etapas. Si nos dábamos prisa, pareceríamos ceder al ultimátum de los amigos y nos mortificaba la idea de reconocer nuestro fracaso. Al fin y al cabo, el viaje no había sido enteramente negativo. Dolores había sacado fotografías estupendas y regresábamos a Barcelona en excelente forma física, fuertes y bronceados.

Nuestro primer alto fue Guadix. A la entrada del pueblo sufrimos el asalto de una nube de ganchos y, por hacer caso a uno, pasamos la noche en un cuchitril, sucio y sin ventanas. Nos levantamos de amanecida, magullados y, cambiando de itinerario, tomamos la carretera de Almería. En Abla presenciamos el entierro de un niño, en Gador, Dolores se compró unas gafas ahumadas. El sol espejeaba sobre el vidrio delantero y, en una curva, había estado a punto de despistarse. Luego torcimos por la nacional 340 y —a través de un paisaje rocoso y desértico— dejamos atrás Tabernas, Sorbas y Los Gallardos.

Al llegar a Vera, vimos el circo, plantado en el centro de la plaza. Un gran cartel anunciaba, para el domingo, la presentación de la Cuadrilla de Señoritas Toreras y, al pararnos a tomar un café, topamos con el dueño. Con gran sorpresa mía, nos reconoció inmediatamente y se levantó a saludarnos.

—Mis queridos amigos... Justamente me preguntaba qué había sido de ustedes... Les creía por ahí, de viaje...

Le expliqué que nos habíamos ausentado durante un par de semanas y que, por esta razón, no habíamos podido asistir al estreno.

—¿Y a usted? ¿Qué tal le fue?

El hombre sacó un cigarro habano de su bolsillo y mordió la punta, antes de encenderlo.

—Un éxito, mi querido amigo, un verdadero éxito. —Cogiéndome por el codo, nos arrastró hasta su mesa—. La suerte nos reserva a menudo esta clase de jugadas... Uno se cree desahuciado, por así decirlo y, de repente, he aquí que vuelve cuando menos se la espera...

El mozo se acercó a ver qué queríamos. Dolores pidió café para los dos y el dueño una ginebra doble.

—Dimos la representación con la sala llena —continuó—. La gente hacía cola desde las seis y hubo muchos que se quedaron sin entrar. —Sonrió con suficiencia—. Fue un plebiscito, amigo mío, un auténtico plebiscito... Los del cine proyectaban una película a la misma hora y no asistió un alma... Y es que, el arte, cuando es verdadero se acaba por imponer. —Cerró los ojos, como embelesado—. Debería haber visto usted al público entusiasmado, aplaudiendo. Nos hicieron repetir todos los números y, ni aun así hubo manera de calmarlos. Figúrese usted que pretendían obligarme a permanecer allí, hasta el final de la temporada. Pero yo les dije: Soy un artista y me debo al pueblo. Mi misión es continuar mi gira por el mundo, dondequiera que me llamen...

El mozo trajo la ginebra y los cafés. El dueño vació su copa de un trago e hice señal de que le sirvieran otra.

—¿Y ahora? —pregunté, después de felicitarle—. ¿Cuáles son sus proyectos?

—El domingo damos una representación en esta plaza... Una sola... He firmado contratos con Marruecos y Portugal y ya les he advertido que, sintiéndolo mucho, el lunes tendré que marcharme...

—Nosotros nos vamos también —dije yo—. Hacia Barcelona...

—¡Ah, Barcelona! —exclamó él—. El Gran Circo Olimpia...

—Ya no existe. Lo derribaron.

—Lo sé, lo sé —murmuró—. Al enterarme, casi lloré del disgusto... Estaba lleno de recuerdos, para mí. Actuaciones... Giras triunfales...

—Ahora hablan de edificar uno nuevo.

—Sí —el mozo vino con la segunda ginebra y la volvió a beber—. Precisamente me acaban de transmitir una oferta muy ventajosa del empresario. Un catalán... Una gran fortuna... ¿Viven ustedes en Barcelona mismo?

—Sí.

—Entonces, es muy posible que me vean —suspiró—, mis amigos me reclaman continuamente. Cartas, conferencias, telegramas...

Saqué el billetero para pagar, y le tendí mi tarjeta.

—Esta es nuestra dirección.

—Gracias —dijo él—. Les iré a saludar encantado.

Sus ojos se posaron en la copa vacía, inexpresivos.

—Había jurado no poner los pies allí, después de lo del Olimpia, pero acabaré por ceder, un día u otro...

A través de la plaza desierta, nos escoltó hasta el coche.

—El público, a fin de cuentas, no tiene la culpa y yo no soy rencoroso. Si mis amigos catalanes les preguntan, díganles que les he perdonado...

Se lo prometimos así, antes de despedirnos, y desde la carretera, arrebolado por la luz de poniente, le vimos hacer melancólicamente adiós con la mano.

VIII

Conforme habíamos convenido al partir nos instalamos de nuevo en la fonda. Los hermanos tomaban la fresca en el zaguán y, cuando llegamos, nos saludaron, alborozados. Confusa —y algo emocionada también— Dolores distribuyó sus sorpresas: un pañuelo y un lápiz de labios para la chica, un corte de vestido para la madre, una cartera de cuero para Manuel, un álbum de fotos de automóviles para Paco...

—Mi niño preguntaba todos los días por ustedes —dijo la madre—. Creía que no iban a volver...

—Ayer —explicó Manuel—, se pasó la tarde en la carretera, esperándoles...

La hermana había abierto una botella de vino y vaciamos los vasos, avergonzados. La madre parecía también muy contenta y nos contó que en setiembre hacía menos calor. Paco había sacado las fotos del sobre y las examinaba, sentado en el suelo.

—Si quieren dar una vuelta, me lo dicen.

—Nos vamos a cambiar un segundo, antes —le contesté—; luego, cuando bajemos.

Mientras nos lavábamos, pasamos revista a todas nuestras infidelidades y, tras un detenido examen de conciencia, reconocimos ser, sin lugar a dudas, insensibles y cínicos. Nuestro interés por la gente era meramente superficial y ocultaba, debajo, una crueldad e indiferencia profundas. Las tragedias de los otros nos servían de entretenimiento y diversión, y la generosidad que aparentábamos constituía, a la postre, una manifestación más de nuestro egoísmo.

—Hay los explotadores económicos, y los otros —concluyó Dolores—. Y quizá somos peores que ellos.

Lo dijo con voz tan dramática que nos echamos a reír y, reconciliados con nosotros mismos, nos tratamos mutuamente de cínicos, negreros, embaucadores.

Cuando bajamos, Paco nos esperaba sentado en el guardabarros del coche y, por la calleja mal empedrada, nos dirigimos los tres hacia el paseo.

El sol se había quitado tras las montañas y el cielo tenía un color rosado, casi de cromo. Acodado en la baranda, contemplamos la orilla desierta, la playa guijosa y parda. La brisa agitaba la superficie del mar e inventaba dibujos fugaces, como flores de espuma. Una nodriza venía por la acera, rodeada de niños, y un camarero aguardaba en vano la clientela en la puerta de la heladería.

—¿Y los madrileños? —pregunté.

—Se han ido casi todos —repuso Paco—. Pero nadie los echa de menos.

Estábamos fatigados y nos detuvimos en el chiringuito. Los pescadores comían la cena de sus tarteras y miraron con el rabillo del ojo a Dolores.

—¿Se estarán mucho tiempo ahora? —preguntó al cabo de un rato el niño.

Le dije que no, que debíamos marcharnos.

—¿Cuándo?

—Mañana.

El chiquillo se acercó a servirnos y Dolores pidió una botella de vino y una gaseosa para Paco.

—¿Y el año que viene? ¿Volverán?
—Sí.
—¿Con el coche?
—Esperamos que sí.
—¿Me dejarán limpiarlo?
Respondí afirmativamente y el niño calló, tranquilizado. Plácidamente bebimos la botella de vino. Anochecía y el viento hacía vibrar las banderitas del bar. El cine había cerrado unos días antes. Los faroles iluminaban apenas la explanada.
—El circo está en Vera, ahora —dije.
—Ya lo sé.
—Vimos al dueño, por casualidad. Nos explicó que tuvo mucho éxito.
El niño sonrió, de modo ambiguo:
—Eso dicen...
—¿Y tú? ¿No fuiste?
—No.
—¿Por qué?
—Porque no me dejaron.
Una breve ráfaga de viento levantó una tolvanera en la plaza. Los pescadores pidieron otra botella de vino y Dolores se restregó los ojos con ademán de cansancio.
—Si quieres quedarte ahí, quédate... Yo me voy a la cama.
—¿No cenas?
—No. No tengo apetito, y me caigo de sueño.
—Entonces, te acompaño a la fonda.
—Mañana debemos hacer quinientos kilómetros.
—¿A qué hora salimos?
—Temprano. Me gustaría comer en Alicante.
Nos levantamos. La noche había barrido los últimos niños y nodrizas del paseo y en la explanada no se veía un alma. Pasamos frente al Hogar Sindical —vacío, a aquella hora— y la heladería. Paco caminaba delante de nosotros, en silencio y, al llegar a su casa, se eclipsó con las fotos y el álbum.

Me había acostumbrado ya a la maldad de la cocina andaluza y comí el pescado al horno de la madre sin excesiva repugnancia. Dolores había subido a la habitación y me entretuve hojeando el *ABC* en la cocina. Aquélla era la última noche que pasaba en el pueblo y quería dar una vuelta con Manuel antes de ir a acostarme.

—Si le parece, sale usted ahora y nos encontramos dentro de media hora.

—¿Dónde? —dije.

—El chiringuito cierra a las diez... Mejor se va usted al Hogar y yo iré allí, en cuanto cene.

El paseo estaba desierto y la heladería cerrada. Los faroles del muelle se reflejaban trémulamente en el mar, la luz verde de la baliza señalaba la entrada del puerto a las barcas.

Me senté al lado de la ventana y pedí un coñac. Tres viejos jugaban al subastado en una de las mesas y no movieron siquiera la cabeza para mirarme. El pueblo parecía replegado sobre sí mismo, sólo se percibía el zumbido del viento y el monótono golpeteo del agua al chocar contra las pesqueras.

Cuando llegó Manuel, había bebido el coñac, y me sentía algo achispado. Pedí un doble para los dos y, antes de hablar, aguardé a que la mujer los sirviese.

—En Vera vi al dueño del circo —comencé.

La sonrisa de Paco me rondaba la memoria y había decidido no irme de allí, sin poner el asunto en claro.

—Lo encontré en un café, muy pimpante, y me dijo que su espectáculo tuvo la mar de éxito...

Hablaba expresamente con un deje de burla, y levanté la mirada, acechando su reacción.

—Pues sí, lo tuvo —admitió Manuel.

—¿En serio? —dije.

—Sí. —Bajó la voz—. ¿Se lo han explicado?

—No. ¿Qué ocurrió?

El chico volvió la cabeza atrás, para asegurarse de que no le escuchaban.

—Fue la juerga mayor que he visto en mi vida. —Tenía el coñac al alcance de la mano y bebió un sorbo—. No sé si sabe usted que en el programa de la función anunciaban una cuadrilla de Señoritas Toreras. Por la mañana, la gente se asomó a la plaza para ver cómo era el toro y, si no llega a ser porque había mucho curioso, nadie hubiera dado con él.

—¿Por qué?

—De chico que era... Parecía una cabra, sin cuernos ni nada... No había visto nunca un toro tan pequeño. Los chavales abrieron no sé cómo la puerta de la jaula y, en vez de escaparse y embestir, se quedó allí dentro, muy quietecito, comiendo una hoja de ensalada...

—¿Y la función?...

—No hubo función. Todo el mundo decía que iba a ser una mierda y, cuando llegaron las Toreras, los niños las apedrearon... El dueño andaba desesperado y se tiraba de los pelos... «Es la ruina... Me voy a suicidar»... Y, entonces, tocaron a rebato y hubo reunión en el Ayuntamiento...

—¿En el Ayuntamiento?

—Sí. El amo debía cuartos a muchos y se juntaron, el alcalde, el brigada de la guadia civil, el jefe de Falange, y hasta el párroco... Mi primo es el que cuida del edificio y me lo contó... Querían que el circo se largara de un vez y pagara el alquiler de la plaza pero, como no había manera honrada de encontrar perras, decidieron levantar por una noche la veda y abrir en la playa una casa de putas.

—No te entiendo.

—Dijeron que la gente podía follar con las artistas y que, con el dinero, el dueño pagaría los atrasos... El brigada prometió suprimir la ronda de la noche y el alcalde dijo que él no se daría por enterado de lo que pasara. El único que protestó fue el cura, pero debieron darle algo para que callase porque al final dijo que se lavaba las manos.

—¿Qué día fue esto? —pregunté.

—El mismo sábado. La gente lo supo en seguida. El chófer había llevado los carromatos a la playa, allí donde estuve el primer día con ustedes y, hacia las ocho o las nueve, empezaron a venir hombres de todas partes. El dueño soltó un discurso para decir que cada mujer valía tres duros y había que ir con orden y sin atropellarse y, en un minuto, se formaron varias colas. Las mujeres estaban tumbadas panza arriba y todo el mundo veía como las montaban. Unas gustaban más y otras menos, las colas no eran igual de largas y hubo que poner diferentes precios.

Se detuvo un instante y bebió un trago. Al hablar, su rostro se mantenía perfectamente serio, pero el brillo irónico de sus ojos le vendía.

—En mi vida había visto tanto relajo... Los tíos daban gritos y se empujaban y el amo corría de un sitio a otro con un garrote, vigilando que no se colara nadie... Había seis mujeres, sin contar la suya, y nosotros éramos más de trescientos... Todos los gitanos de la chimenea estaban allí y, como no tenían cuartos para pagar, se ponían al lado de las mujeres y miraban. No se puede usted imginar el cuadro: el dueño que pegaba chillidos e insultaba a la gente; las mujeres, que lloraban; los gitanos, que reían... Jaspe, aquel hombrón que habló con usted, se tiró a dos o tres y no pagó a ninguna...

»El jaleo había comenzado a las nueve, y a las tres de la mañana seguía igual. Las mujeres soltaban ayes: "no puedo más, yo no lo resisto..." y el dueño, con la estaca en una mano y la cartera en la otra, contaba las perras, sin escucharlas. "Aguantaos, qué leches —decía—. Aún faltan más de trescientos..."

»No sé a qué hora acabó el follón. Cuando me fui, eran casi las cinco: el amo reñía con su mujer, las otras protestaban y gemían, los hombres no querían largarse.

»El día siguiente, cuando volví, el circo ya no estaba. El alcalde, el brigada y el de Falange debían de haber cobrado la prima, y habían embarcado a las artistas en camiones, sin que nadie se enterase...

»El pueblo tenía el mismo aspecto de siempre, aunque en las calles se veía a muchos borrachos. La guardia civil encerró a algunos por "escándalo público" y, en la iglesia, el cura celebró una misa solemne por el perdón de los pecados...

IX

Se detuvo. Mientras hablaba, los pescadores habían interrumpido la partida de subastado y bebían en silencio, iluminados a contraluz por la bombilla. La mujer fregaba los vasos al otro lado de la barra, y un borracho asomó la cabeza por la puerta, echó una ojeada al interior y volvió a desaparecer en la oscuridad, tambaleándose.

Habíamos acabado el coñac y pagué a la mujer. Fuera, el viento arremetía aún contra las ramas de los árboles y los faroles del paseo proyectaban una luz fría y mortecina. Manuel se esquivó hacia la carretera —Paco me había dicho que, de noche, pelaba la pava con una muchacha— y, antes de irme a dormir, fui a dar una vuelta por la explanada en donde estuvo instalado el circo.

A aquella hora, estaba completamente desierta y el viento sacudía los jirones del cartel anunciador. Con las manos en los bolsillos —llevaba sólo una camisa de hilo delgado— me encaminé hacia la fonda. Era la última vez que paseaba por el puerto y me sentía presa de absurda melancolía.

Dolores me aguardaba en la vieja cama de matrimonio y, al encender la perilla de la luz, se desperezó. Dormía desnuda encima de las sábanas y se corrió para hacerme sitio.

—¿Dónde has estado? —dijo, medio en sueños.

—Charlando en el Hogar, con Manuel.

—¿Charlando? —murmuró, y se tapó la cabeza con la almohada—. ¿Charlando de qué?

—De nada —repuse—, del circo.

LA GUARDIA

A Carlos Cortés

I

Recuerdo muy bien la primera vez que le vi. Estaba sentado en medio del patio, con el torso desnudo y las palmas apoyadas en el suelo y reía silenciosamente. Al principio, creí que bostezaba o sufría un tic o hacía muecas como un enfermo del mal de San Vito, pero al llevarme la mano a la frente y remusgar la vista, descubrí que tenía los ojos cerrados y reía con embeleso. Era un muchacho robusto, con cara de morsa, de piel curtida y basta y pelo rizado y negro. Sus compañeros le espiaban, arrimados a la sombra del colgadizo, y uno con la morra afeitada le interpeló desde la herrería. Con la metralleta al hombro, me acercé a ver. Aquella risa callada parecía una invención de los sentidos. Los de la guardia vigilaban la entrada del patio, apoyados en sus mosquetones; otro centinela guardaba la puerta que formaba el chaflán del muro de albardilla. El cielo era azul, sin nubes. La solina batía sin piedad a aquella hora y caminé rasando la fresca del muro. El suelo pandeaba a causa del calor y, por entre sus grietas, asomaban diminutas cabezas de lagartija.

El soldado se había sentado encima de un hormiguero: las hormigas le subían por el pecho, las costillas, los brazos, la espalda; algunas se aventuraban entre las vedijas del pelo, paseaban por la cara, se metían en las orejas. Su cuerpo bullía de puntos negros y permanecía silencioso, con los párpados bajos. Durante el paseo de la víspera me había quedado en el cuerpo de guardia y me detuve a secar el sudor. En la atmósfera pesada y quieta, la cabeza del muchacho se agitaba y vibraba, como un fenómeno de espejismo. Sus labios dibujaban una risa ciega: grandes, carnosos, se entreabrían para emitir una especie de gemido que parecía venirle de muy dentro, como el ronroneo satisfecho de un gato.

Sin que me diera cuenta, sus compañeros se habían aproximado y miraban también. Eran nueve o diez, vestidos con monos sucios y andrajosos, calzados los pies con alpargatas miserables. Algunos llevaban el pelo cortado al rape y guiñaban los ojos, defendiéndose del reverbero del sol.

—Tú, mira, son hormigas...

—Son quirias.

—Hormigas.

—L'hacen cosquiyas.

—Tá en el hormiguero...

Hablaban con grandes aspavientos y sonreían, acechando mi reacción. Al fin, en vista de que no decía nada, uno que sólo tenía una oreja se sentó al lado del muchacho, desabrochó el mono y expuso su torso esquelético al sol. Las hormigas comenzaron a subirle por las manos y tuvo un retozo de risa. «Uy, uy», hizo. Su compañero abrió los ojos entonces y nuestras miradas se cruzaron.

—Mi sargento...

—Sí —dije.

—A ver si nos consigue una pelota... Estamos aburríos...

No le contesté. Uno con acento aragonés exclamó: «Cuidado, que viene el teniente», y aprovechó el movimiento alarmado del de la oreja para guindarle el sitio. Yo les había vuelto la espalda y, poco a poco, los demás se sentaron en torno al hormiguero.

Era la primera guardia que me tiraba (me había incorporado a la unidad el día antes) y la idea de que iba a permanecer allí seis meses me desalentó. Durante media hora caminé por el patio, sin rumbo fijo. Sabía que los presos me espiaban y me sentía incómodo. Huyendo de ellos me fui a dar una vuelta por la plaza de armas. Continuamente me cruzaba con los reclutas. «Es el nuevo», oí decir a uno. El cielo estaba liso como una lámina de papel: el sol parecía incendiarlo todo.

Luego, el cabo batió las palmas y los centinelas se desplegaron con sus bayonetas. Los presos se levantaron a regañadientes: las hormigas ennegrecían sus cuerpos y se las sacudían a manotadas. Pegado a la sombra de la herrería, me enjugué el sudor con el pañuelo. Tenía sed y decidí beber una cerveza en el Hogar. Mientras me iba (había devuelto al cabo las llaves del calabozo) vi que el muchacho se desabotonaba la bragueta y, sin hacer caso de las protestas de los otros, meaba, con una satisfacción cruel, en el hormiguero.

II

A la hora de fajina, lo volví a ver. El teniente me había dado las llaves y, cuando los cocineros vinieron con la perola del rancho, abrí la puerta del calabozo. De nuevo llevaba la metralleta y el casco y me arrimé a la garita del centinela para descansar.

Los presos escudriñaban a través de la mirilla y al descorrer el cerrojo, se habían abalanzado sobre el caldero. Las lentejas formaban una masa oscura que el cabo distribuía, con un cucharón, entre los cazos. Uno de la guardia había repartido los chuscos a razón de dos por cabeza y, mientras los demás comían ávidamente los suyos, dejó su cazo en el poyo y vino a mi encuentro.

—Mi sargento... ¿Me podría usté hacé un favó?

Apoyé el talón de la metralleta en tierra y le pregunté de qué favor se trataba.

—No es na. Una tontería... —Hablaba con voz socarrona y, por la abertura de la camisa, se rascaba la pelambre del pecho—. Decirle al ordenanza suyo que me traiga luego el diario.

—¿El diario? ¿Qué diario?

—El que reciben ustés en el cuerpo de guardia.

—Recibimos muchos.

—El que habla de fútbol.

—Todos hablan de fútbol. Ninguno habla de otra cosa.

—No sé cómo lo llaman... —murmuró—. Dígaselo al ordenanza. De parte del Quinielas. El sabe cuál es.

—¿El *Mundo Deportivo?*

—Pué que sea ése... ¿Es uno que lleva la lista de los partíos de primera?

—Sí —repuse—. Lleva la lista de los partidos de primera.

—Entonces, debe de ser el *Mundo Deportivo* —dijo—. Hace más de un mes que miro pa ver si trae el calendario de la temporá. Lo han de sortear un día de esos...

Me miraba a los ojos, de frente, y escurrió las manos en los bolsillos.

—¿Le gusta a usté el fútbol, mi sargento?

Le dije que no lo sabía; en la vida había puesto los pies en un campo.

—A mí no hay na que me guste más... Antes de entrar en la mili no me perdía un partío...

—¿Cuándo te incorporaste?

—En marzo hizo cuatro años.

—¿Cuatro?

—Soy de la quinta del cincuenta y tres, mi sargento.

El cabo repartía el sobrante de la perola entre los otros y continuó frente a mí, sin moverse:

—Cuatro temporás que no veo jugar al Málaga...

—¿Cuándo te juzgan?

—Uff —hizo—. Con la prisa que llevan... Me haré antes viejo.

Su voz se había suavizado insensiblemente y hablaba como para sí.

—En invierno al menos, cuando hay partíos, leo el diario y me distraigo un poco. Pero, en verano...

—¿Cuándo empieza la Liga? —pregunté.

—No debe de faltar mucho —murmuró—. A fines de agosto suelen hacer el sorteo...

El cabo había terminado la distribución y, uno tras otro, los presos entraron en el calabozo. El muchacho pareció darse cuenta al fin de que le esperaban y miró hacia el patio, haciendo visera con los dedos.

—Si un día abre la puerta y no estoy, ya sabe dónde tié que ir a buscarme...

—¿Al fútbol? —bromeé.

—Sí —dijo él, con seriedad—. Al fútbol.

Había recogido el cazo de lentejas y los chuscos y, antes de meterse en el calabozo, se volvió.

—Acuérdese del diario, mi sargento.

Yo mismo cerré la puerta con llave y corrí el cerrojo. Los centinelas habían formado, mosquetón al hombro y, mientras daba la orden de marchar, contemplé el patio. A aquella hora era una auténtica solanera y los cristales del almacén reverberaban. Entregué las llaves al cabo y, bordeando el muro de las letrinas, me dirigí hacia el cuerpo de guardia.

III

—Hay que tener mucho cuidado con ellos. La mayoría son peligrosos. —Se había sentado al otro lado de la mesa y me analizaba a través de las gafas—. Cuando les des el rancho o los saques a pasear por el patio, conviene que no los pierdas de vista ni un momento. El año pasado a uno de Milicias se le escaparon tres: el Fránkestein, ese otro al que le falta una oreja y uno catalán. Al Fránkestein y al de la oreja los trincaron en Barcelona, pero el otro pudo cruzar la frontera y, a estas horas, debe pasearse todavía por Francia.

Esperaba sin duda algún comentario mío y asentí con la cabeza. El teniente hablaba con voz pausada, cuidando la elección de cada término. Como siempre que me dirigía la palabra, sonreía. Yo le observaba con el rabillo del ojo: pálido, enjuto, llevaba el barbuquejo del casco ajustado y la vaina de su espada sobresalía por debajo de la mesa.

—En seguida te acostumbrarás a tratarlos, ya verás. Si te cogen miedo desde el principio, te obedecerán y todo marchará como la seda. Si no... —Hizo un ademán con las manos imposible de descifrar—. No conocen más que un lenguaje: el del palo. Cuando les pegas duro, la achantan y, lo que es curioso, te admiran y te quieren. Los españoles somos así. Para cumplir, necesitamos que nos gobiernen a garrotazos.

Por la ventana vi pasar a un grupo de quintos en traje de paseo. Era domingo y la sala de oficiales estaba desierta. Su mobiliario se reducía al escritorio-mesa y media docena de sillas. Clavado en el centro de la pared había un retrato en colores de Franco.

—Ya sé que a los universitarios os repugna gobernar a palo seco y preferís untar las cosas con un poco de vaselina... Estáis acostumbrados a la gente de la ciudad, al trato de personas como tú y como yo, y no conocéis lo que hay debajo. —Señaló los barracones de los soldados con la estilográfica—. Aquí nos llega lo peor de lo peor: el campo de Extremadura, Andalucía, Murcia, La Mancha... La mayor parte de los reclutas son casi analfabetos y algunos no saben siquiera persignarse... En el cuartel no se les enseña solamente a disparar o a marcar el paso. Con un poco de buena voluntad y, a base de perder varias veces el pelo, aprenden a coger el tenedor, a hablar correctamente y a comportarse en la vida como Dios manda...

Abrió uno de los cajones del escritorio y sacó un enorme fajo de papeles. El reloj marcaba las tres y diez: menos de una hora ya, para el relevo de la guardia.

—Un día que tenga tiempo, te enseñaré el historial de los expedientados. Es muy instructivo y estoy seguro de que te interesará. Todos han empezado por una pequeña tontería, se han visto liados poco a poco y, la mayor parte de ellos, acabarán la vida en la cárcel.

Asegurándose de que yo le escuchaba, comenzó a hojear la pila de expedientes: insubordinación, deserción, abandono de arma, robo de quince metros de tubería, robo de capote, robo de saco y medio de harina... El Fránkestein, explicó, había huido tres veces y, las tres veces, lo habían pescado en el mismo bar. El Mochales se había largado al burdel estando de facción. Los quince años que el fiscal reclamaba para el Avellanas se encadenaban a partir de un insignificante latrocinio... Me acordé del preso de las hormigas y le pregunté qué había hecho.

—Es un chico moreno, con el pelo rizado... Uno que le gusta mucho el fútbol.

—Ah —dijo el teniente, sonriendo—. El célebre Quinielas... Seguramente te habrá pedido el diario...

—Sí —dije yo—. Me lo ha pedido.

—Lo hace siempre. Cada vez que hay un suboficial nuevo o de Milicias, le va con el cuento... Está allí por culpa del fútbol y todavía no ha escarmentado...

Abrió otro cajón del escritorio y sacó media docena de libretas.

—Es un técnico —dijo—. Desde hace no sé cuántos años, anota el resultado de los partidos, la clasificación, los goles a favor y los goles en contra y hasta el nombre de los jugadores lesionados. ¿No te ha pedido que le des un par de boletos para las quinielas?

—No.

—Pues aguarda a que empiece la temporada y verás. Se lo pide a todo el mundo. Conociendo como él conoce la preparación de cada equipo, cree que un día u otro acertará y llegará a ser millonario.

—¿Y por qué está en el calabozo? —pregunté—. ¿Robó algo?

—No; no robó nada. Mejor dicho, robó, pero de manera más complicada. —Había corrido la hebilla del barbuquejo y depositó el casco sobre la mesa—. Hace años, cuando llegó, era un muchacho la mar de servicial y, al bajar de campamento, el comandante le buscó un destino en Caja. Nadie desconfiaba de él. En el cuartel pasaba por ser una autoridad en materia de fútbol. No hablaba jamás de otra cosa y, todo el santo día, lo veías por ahí con su libretita copiando la puntuación y los goles. El tío se preparaba para jugar a las quinielas y no se nos ocurrió que, un buen día, podría llevar sus teorías a la práctica.

—¿Cómo, a la práctica?

El teniente echó la silla hacia atrás e hizo una vedija con el humo de su cigarro.

—Un sábado arrambló con cuatro mil pesetas de Caja y las apostó a las quinielas. Durante toda la semana había empollado como un negro sus gráficos y sus estadísticas y estaba convencido de dar en el clavo. Lo de las cuatro mil pesetas no era un robo, era un «adelanto» y creía que, al cabo de pocos días, podría restituirlas sin que nadie se enterara... Lo malo es que el cálculo falló y, al verse descubierto, volvió a hacer otro «préstamo», esta vez de once mil pesetas, estudió la cuestión a fondo, rellenó sus boletos y, zas, volvió a marrarla... Estaba preso en el engranaje y probó una tercera vez: catorce mil. Cuando se dio cuenta había hecho un desfalco de treinta mil pesetas y, a la hora de dar explicaciones, no se le ocurrió otra cosa que ahorcarse.

—¿Se ahorcó?

—Sí. Se falló. —Aplastaba la colilla en el cenicero y tuvo una mueca de desprecio—. Todos se fallan.

El alférez entrante se asomó por la puerta del bar de oficiales. Llevaba el correaje ya, y la espada y el casco y dio una palmada amistosa en el hombro de su compañero. Ladeando la cabeza miré el reloj. Faltaban unos minutos para las cuatro y me fui a escuchar la radio a la sala. Fuera, el sol golpeaba aún. Durante toda la noche no había podido pegar un ojo y ordené al chico de la residencia que subiera a hacerme la cama.

LA RONDA

I

Viniendo por la nacional 332, más allá de la base hidronaval de Los Alcázares, se atraviesa una tierra llana, de arbolado escaso, jalonada, a trechos, por las siluetas aspadas de numerosos molinos de viento. Uno se cree arrebatado a los aguafuertes de una edición del Quijote o a una postal gris, y algo marchita, de Holanda. La brisa sopla día y noche en aquella zona y las velas de los molinos giran con un crujido sordo. Se diría las hélices de un ventilador, las alas de un gigantesco insecto. Cuando pasamos atardecía y el cielo estaba teñido de rojo. Recuerdo que nos detuvimos junto a un palmar: los pájaros alborotaban como barruntando la proximidad del crepúsculo, el viento multiplicaba la protesta de los molinos y, entreverados e irreales, se oían gritos de niños y disparos de cazadores. No salimos siquiera del coche y arrancamos en seguida, camino de Cartagena.

Habíamos pasado la noche en Valencia y sentíamos la proximidad del Sur con la misma ansiedad que unos chiquillos la fecha de su aniversario. A medida que dejábamos atrás el paisaje de Levante y sus pueblos endomingados y ricos, nos parecía dejar atrás, asimismo, un período acabado de nuestra vida. Claudia no conocía la región, y yo, apenas. Veo, como si fuera hoy, un caserío de calles polvorientas, que atravesamos, en plena feria de agosto. Un niño soltó a nuestro paso: «El mundo al revés. La mujer es el chófer.» Y cuando, después de una región de minas, con las viviendas excavadas en la ladera de la montaña, divisamos, al fin, Cartagena, tuve, de golpe, la extraordinaria intuición del tirador, de haber acertado en el blanco.

El sol se había quitado y el puerto se desleía en la penumbra. Por el paseo vagaban grupos de marinos y los últimos churretes de luz burilaban la silueta adormecida de los barcos. En varias ocasiones, los ganchos corrieron a nuestro encuentro y nos gritaron direcciones de hotel. «Ya tenemos», les dije por la ventanilla. La víspera caímos en uno lleno de chinches y habíamos decidido ir al mejor. Durante unos minutos recorrimos los barrios próximos al muelle. Después, dando un rodeo, nos dirigimos hacia el hotel Mediterráneo —único mencionado por la guía.

Hacía chaflán con la plaza Prefumo y su situación nos agradó. Claudia aparcó el coche frente a un almacén de tejidos y contemplamos los bares y tiendas iluminados. En la plaza había muchos soldados y marineros y una ronda de centinelas formaba para el relevo en la puerta de Capitanía. Con la maleta a cuestas, subí a la dirección del hotel. Un botones nos acompañó a la habitación. La camarera preparó inmediatamente la ducha y, olvidando la fatiga del viaje, salimos a la calle.

Siempre he sentido una flaqueza especial por los puertos, hasta el punto de que la idea de diversión se asocia, instintivamente, en mi memoria, al olor a salmuera y a brea, al zurrido de las sirenas, a todo el rumor vago y, sin embargo, perfectamente definido, que señala, en cualquier latitud, y de modo inconfundible, la presencia o cercanía del mar. En años anteriores a la ventura de mis vacaciones y ahorros, había visitado los muelles y tabernas de Hamburgo, Amberes, Le Havre. Claudia los conocía aún mejor que yo y, mientras dábamos una vuelta por la plaza, excitados por la novedad del descubrimiento, nos comunicamos nuestro horror mutuo por los alpinistas, los suizos, las vacas y las montañas.

La calle Mayor me hizo pensar en la de las Sierpes de Sevilla: las mesas de los bares y cafés invaden la calzada y los transeúntes deben abrirse camino por en medio. No vimos ninguna mujer. Los hombres charlaban apaciblemente entre ellos y los limpiabotas iban de un lado a otro con sus betunes y cepillos. De vez en cuando nos cruzamos con grupos de soldados que se volvían y comentaban irónicamente los pantalones ceñidos de Claudia. Se acercaba la hora de cenar y el aire olía a pescado frito. En un bar bebimos un chato de manzanilla y en otro un porroncete de blanco. Finalmente, dimos con una tasca de aficionados al cante y Claudia pidió unos callos a la madrileña y yo, una docena de sardinas asadas.

Las mesas eran de madera, sin manteles y los mismos clientes se autoservían. Había obreros de las minas con boina y camisa de colores, soldados y marineros despechugados. Algunos se traían la cena en la tartera, y otros, el vino, y hasta el chusco de pan. La atmósfera estaba impregnada de efluvios humanos y aromas de fritura. Los soldados iban y venían con porrones de tinto y, entre trago y trago, se entretenían en palmear. Había uno bajito, que cantaba con voz de niño. A su lado, otro, afiligranado y rubio, bebía, retrepado contra la pared. Iba vestido pobremente, de paisano, y sus amigos le azuzaban para hacerle bailar.

—Es el mejor bailaor del cuartel —me explicó un mozo de facciones terrosas—. Cuando se pone en serio, no hay quien le gane.

—¿De dónde es? —pregunté.

—De aquí, de la región —me contestó—. De la parte de Palos.

Luego, otro soldado se acercó a nuestra mesa y nos contó su vida, milagros y andanzas. Era huérfano, picó piedra en las canteras, no sabía escribir ni leer. En una gran ciudad, como Barcelona, haría en seguida carrera. Nos lo afirmaba él, que había vivido allí y conocía la afición que hay por el baile.

—Si tiene usted amistad con algún empresario déle su nombre. No se arrepentirá.

—¿Cómo se llama?

—López Rosas, Gonzalo... Pero todos le dicen el Macanas...

Mientras hablaba, habían hecho corro otros dos y confirmaron las palabras de su amigo: el Macanas era el mejor bailaor de la ciudad, hacía lo que quería con el cuerpo, había desafiado y vencido al campeón de los americanos...

—¿Americanos?...

—Bueno... Aquí decimos así a los que trabajan en Escombreras, en la central.

—¿En qué central?

—En la térmica. Son varios miles. Parece que los americanos tienen prisa y pagan más que nadie.

Me presentaron a uno que venía de allí. Un hombre de cejas negras y espesas y ojos azules y hundidos, como lagunas de agua clara. También él había visto bailar al Macanas, me dijo: una noche, delante del director y los ingenieros; fandangos, tientos y soleares durante más de tres horas. Lo habían traído para medirlo con los suyos y dio cien vueltas a los mejores de la base...

—Lo han de ver ustedes una vez. Merece el viaje.

Ajeno al interés que suscitaba, el Macanas seguía empinando el codo. Con ojos turbios observaba a sus compañeros absortos y se alisaba mecánicamente la mecha de pelo que le caía por la cara.

—Todos los días hace igual —explicó el de las facciones terrosas—. Hasta que no la agarra buena, no arranca.

—Nuestro teniente, que es muy flamenco, se lo lleva siempre de juerga —dijo un cabo con acento catalán.

—A la novia del teniente Ramos le gusta mucho el baile andaluz.

—El otro domingo le invitaron al cerro y tuvieron que bajarlo en andas.

—El solo se bebió una botella de anís.

—Yo lo he visto despacharse en una tarde un litro de coñac.

Los soldados estrechaban su cerco alrededor del Macanas: le tiraban de la camisa, de las piernas, uno quiso quitarle la silla. El cabo se levantó también y le dijo unas palabras al oído. El muchacho volvió la cabeza lentamente y, por la expresión de sus ojos, comprendí que le hablaba de nosotros.

—Hay que dejar bien en alto el nombre de la ciudad —despachurró el cabo haciéndonos un guiño—. Los señores son forasteros y quieren ver como bailas.

El achuchón debió hacerle mella pues el Macanas se sacudió y vino a darnos la mano. Iluminado de lleno por la bombilla pude, por fin, observarlo bien. Era más fino aún de lo que me había parecido a primera vista y tenía un aspecto enfermizo y febril, como prematuramente avejentado.

—Voy a bailar para usted —dijo a Claudia.

Los otros acogieron su decisión con aplausos. El de la cara terrosa desapareció por la puerta del fondo y regresó, instantes después, con una guitarra. Durante unos momentos se aplicó a templar las cuerdas, mientras los soldados apartaban las sillas para hacerle sitio. El Macanas permanecía de pie, con la mecha rubia sobre la frente y la mirada perdida en el suelo. El cabo catalán se sentó junto a Claudia y sonrió vanidosamente.

—A estos murcianos se les ha de tratar así... Como no se les despabile un poco, no dan golpe.

El dueño se había acercado a vigilar los preparativos y encargué una ronda de vino para todos.

—No arméis demasiado jaleo —advirtió—. Luego protestan los vecinos y me clavan la multa.

—No se preocupe usted, don Angel —gritó el cabo—; lo haremos a base de bien.

—Como españoles —puntualizó uno.

—Como españoles, y como machos.

—Que no os liéis a pelear como el otro día, digo yo...

—El otro día no fuimos nosotros.

—Vosotros o quien fuese, igual da.

—Estése tranquilo, jefe.

—Que se lo prometemos, qué joder...

Un soldado rechoncho había impuesto silencio con un ademán y todas las miradas convergían sobre la frágil figurilla del Macanas.

—Ahora está en su punto —nos confió el cabo—. Lo que van a ver es cosa fina.

—No es pan de cada día, no —confirmó el «americano».

Luego, el guitarrista atacó un fandango, y a los gritos de

—Por Cartagena

—Por el Cuartel

—Por tu puta madre,

los soldados comenzaron a batir palmas.

II

El «americano» tenía razón: el espectáculo del Macanas bailando merecía el viaje a Cartagena. Han pasado once meses desde aquella noche y su imagen sigue grabada en mi memoria: viril, patético y leve, la mecha de pelo sobre la cara, el cuerpo flexible y el ademán preciso, indiferente y como extraño al entusiasmo que despertaba. No sé a qué hora empezó ni cuándo nos echaron a la calle. El dueño llenó varias veces los porrones de vino y todos bebimos más de la cuenta. Sólo recuerdo que un marinero desgalichado bailó con él y que, a los acordes agrios de la guitarra, hicieron una parodia del tango apache.

Claudia estaba tan entusismada como yo y, bajo la mesa, me estrechó varias veces la mano. El Macanas era un artista de verdad. En ninguna zambra ni fiesta había visto una capacidad de locura como la suya, ninguna exhibición de facultades tan rotunda y tan clara. Cuando salimos, sus compañeros lo llevaron en hombros durante un buen trecho, cantando y armando escándalo. Las calles estaban todavía llenas de gente y nos detuvimos a beber en varios bares. El Macanas parecía ignorar la fatiga y bailó cuantas veces se lo pidieron. La mecha rubia se le había pegado a la frente y el sudor le corría, por las arrugas, a lo largo de la cara.

En un momento dado se acercó a saludarnos y cambió unas palabras con nosotros. Hablaba con una voz infantil, levemente cascada y preguntó si nos había gustado el baile. Le dijimos que sí y calló, satisfecho. En seguida, sus amigos volvieron a darle de beber. El que nos había contado su vida, discutió ásperamente con el cabo. Los otros intervinieron para separarles y alguien propuso que fuésemos al cerro.

Torciendo a la izquierda de la Plaza Prefumo, frente a la puerta principal de Capitanía, una calle estrecha y en zigzag une la parte baja de la ciudad al barrio de El Molinete. La cuesta es pina y hay que tomarla con calma. Al fin, se desemboca en una plaza, alumbrada por un farol de gas, que recuerda muchas plazas de puerto: pequeña y, no obstante, destartalada, con la ropa colgada en los balcones e innumerables gatos vagando entre las basuras.

Uno tiene la impresión de entrar en otro mundo; la atmósfera está saturada de olores vagamente dulzones, las radios parlotean sin sentido y se escucha, en sordina, el rasgueo de las guitarras. Los bares se alinean unos junto a otros —Miami, Palm Beach, La Farola, El Barquito— y sus luces —rojas, verdes, violadas y azules— disfrazan la noche de un halo relumbrón y policromo.

Ni Claudia ni yo nos esperábamos un cambio tan brusco y nos detuvimos a mirar, aturdidos. Cadetes, marineros y soldados iban de un bar a otro y algunos se volvían y decían adiós al Macanas. Veo todavía a un oficial americano del brazo de una muchacha pintada, morena; está borracho y se empeña en invitarnos a beber. Un chico nos dispara desde una esquina con un revólver de juguete: la madre viene a buscarlo y se lo lleva a casa, de la oreja...

Entramos en un bar con un largo mostrador de zinc, servido por cinco o seis mujeres. Unos oficiales bebían en la mesa del fondo y, al ver al Macanas, se incorporaron.

—¡Míralo!

—¡Cabrón!

—¿Dónde leches te habías metido?

—Andaba con unos amigos, mi alférez.

—Y nosotros dando vueltas por ahí, buscándote...

—No lo sabía... Nadie me dijo nada.

—Nadie, nadie... Valiente rácano estás hecho tú.

—Y con una buena tajada encima, ¿no?

—Regularcilla, mi alférez.

—Pues, hala, ya te estás viniendo con nosotros y te pones a bailar.

—No hay guitarra.

—Lo mismo da. Sin.

—Como ustedes ordenen.

Se volvió hacia nosotros, como pidiéndonos disculpas y los oficiales comenzaron a palmear. En un abrir y cerrar de ojos, los clientes hicieron anillo a su alrededor. Los soldados jaleaban también, y Claudia y yo nos acodamos en la barra.

—Les gusta, ¿verdad?

Era el que antes había peleado con el cabo. Se había separado de los otros y le sonreí.

—Mucho, muchísimo.

—En mi vida he visto bailar gente —dijo—. Pero nunca a ninguno con su clase.

Hablaba con voz bronca, y como retenida y, en pocas palabras, redondeó la biografía del muchacho: a sus padres les fusilaron después de la guerra, lo habían recogido unos tíos suyos, nadie le había enseñado a bailar...

—¿Nadie?

—Nadie. Todo lo que sabe, lo ha aprendido solo. En la cantera...

Me contó cómo, a la salida del trabajo, los hombres le llevaban a beber con ellos. Iban a una taberna, a las afueras del pueblo y escuchaban la radio. Y, cada vez que había música, el niño la bailaba... Llevaba el ritmo en la sangre, el Macanas. Y los de la cantera le querían como a un hijo porque lo habían visto bailar desde el comienzo y su baile no era postizo como el de otros, sino que le venía de muy dentro...

—Es un chico de mucho mérito, mucho —concluyó—. Y muy bueno. Vale lo que pesa en oro...

—Sí. Se ve en seguida...

—No sabe decir nunca que no y, por pedazo de pan, todo el mundo se aprovecha.

—¿Se aprovecha? ¿Cómo?

—Lo explotan —repuso el amigo—, le hacen beber y bailar y no lo sueltan hasta que se cae de puro cansado.

Los oficiales lo llamaban siempre para sus juergas, dijo. En el cuartel había muy poco que hacer y, casi cada noche, se emborrachaban. Empezaban en el bar de la Residencia y, si se terciaba la ocasión, subían al cerro a buscar mujeres y a hacer el chulo por los bares. Se les daba igual la hora y el que, el día siguiente, el chico se levantara a las seis. Enviaban un centinela a despertarle y lo sacaban de la cama...

—¿Y él? ¿Por qué va?

—Es lo que digo yo —murmuró el soldado con rabia—. El no duerme de día, como ellos. Y no tiene salud... Desde los siete años se ha pasado la vida trabajando.

El Macanas había acabado el baile y se detuvo a respirar unos segundos. Parecía un niño, con el pelo caído en anillas y la mirada turbia anhelante. Llevaba la camisa de colores, plagada de remiendos y, sujetando sus pantalones, un trozo gastado de cuerda hacía las veces de cinturón.

—No tienen ningún respeto por él —dijo su amigo—. Mi padre lo conoció en la cantera y cuenta que, allí, todos apreciaban su arte... Aquí, no. Unos y otros lo exprimen como una fruta y se les importa una higa si vale o no vale.

Las venas de la frente le abultaban y sentí un repeluzno de frío.

—¿Cuánto tiempo le falta para cumplir? —preguntó Claudia.

—Diez meses —repuso el mozo, abatido—. Hasta el otro verano.

—Es una pena —dije.

—Sí. Es una pena.

—En Madrid, le habría encontrado trabajo en seguida.

—Sí.

—Es de la misma raza que Antonio, que Faíco...

—Sí.

—Tengo amistades y habrían podido ayudarle.

—Sí, sí.

Bajó la vista, como adivinándome el pensamiento y encendió un pitillo.

—Es un gran artista —dijo—. Sería una lástima que se malgastase...

LOS AMIGOS

A Jaime Gil de Biedma

Desde hacía seis días no había tenido un momento de reposo. El ritmo de vida de la ciudad se había alterado bruscamente y en la cara de los hombres y mujeres que cubrían las aceras, se leía una resolución firme, llena de esperanza. Una solidaridad muda nos unía a todos. Habíamos descubierto que no estábamos solos y, después de tantos años de vergüenza, el descubrimiento nos asombraba. Nuestras miradas se cruzaban y eran miradas de complicidad. Los gestos más insignificantes de la vida diaria —el simple hecho de caminar— revestían un carácter insólito y milagroso. La gente cumplía su trayecto habitual en silencio y este silencio, de centenares, de miles de personas, era más elocuente que cualquier palabra.

Ni mis amigos ni yo habíamos visto nada parecido y nos sentíamos como borrachos. Al cabo de muchos días de trabajo y espera, disponíamos libremente de la jornada. El espectáculo de las calles invadidas nos atraía y nos confundíamos en el gentío como unos transeúntes más, en silencio, buscando con avidez en cada rostro el apoyo y sostén de la mirada. Lo habíamos recorrido todo, el centro y las afueras, de la mañana a la noche, incansablemente. Hacía largo tiempo que aguardábamos este día y nos costaba convencernos de que había llegado. Después de la cena nos reuníamos a discutir en el piso de Julia y no nos íbamos a acostar hasta que amanecía.

Luego, la atmósfera se ensombreció y los periódicos se poblaron de amenazas. Había que vigilar y orar, el enemigo se insinuaba por todas partes. Una silueta familiar se recortaba sobre un fondo de aviones, tanques, cañones, navíos. El que tantas veces nos había llevado a la victoria, tenía conciencia de su deber y no desertaría jamás de su puesto de honor, de mando y de combate...

Todas las mañanas, al despertarme, leía los editoriales y telefoneaba a Julia, a Antonio o a Máximo para oír su voz y asegurarme de que nada había ocurrido. En la Universidad decían que Fulanito no había ido a dormir a casa; que desde el martes, no se tenían noticias de Menganito. Algunos se asombraban de verme allí y me aconsejaban cambiar de aires.

Un hombre que no tenía pinta de maricón seguía a Enrique como una sombra y, el mismo día, decidimos suprimir nuestras reuniones y esperar los acontecimientos en casa. Pero la soledad nos resultaba insoportable y, al cabo de unas horas, no resistíamos a la tentación de oírnos y, desde cualquier locutorio público, nos telefoneábamos con voz falsamente despreocupada, para preguntar si la madre de Zutano seguía bien o pedirnos prestado algún libro.

Desde mi cuarto percibía el ruido del ascensor y mi corazón latía más aprisa cada vez que el timbre sonaba. Era el lechero con sus botellas, o la chica de la tintorería, o el inspector del gas. Una tarde fui a ver a Amadeo, y su madre, al abrir la puerta, dijo, elevando la voz: «No. No queremos más. Las latas que nos vendió la última vez no eran buenas y tuvimos que echarlas.» Dentro, se oía rumor de pasos y un hombre con gafas ahumadas se asomó a mirar, desde el pasillo. Incliné la cabeza y salí.

Ninguno de mis amigos sabía nada. Encontré a Máximo en la Biblioteca y me conminó a partir. Puesto que tenía el pasaporte en regla, lo mejor que podía hacer era largarme y aguardar al otro lado de la frontera a que la tormenta amainase. Tras unos instantes de vacilación, acepté. Aunque me angustiaba dejar a los otros, me daba cuenta de que mi presencia era inútil. La gente seguía caminando por la calle y temía no soportar más el sonido del timbre.

—Preferiría que hubieran subido ya, ¿comprendes?... Lo peor es la espera.

El tren salía al día siguiente y tenía mucho que hacer. Mientras devolvíamos los libros al empleado quedamos en reunirnos con los demás, después de la cena.

—Diles que vayan al Ranchito. Como en los buenos tiempos...

—Se lo diré —prometió Máximo.

—Tengo ganas de distraerme y no pensar...

—Yo también.

—Adviérteselo a ellos.

—No te preocupes... Todos están tan hartos como tú.

—Beberemos...

—Sí —dijo él—. Beberemos.

Cuando llegué, Antonio aguardaba ya. Leía el periódico, acodado en la barra y me mostró un editorial encuadrado en rojo.

—¿Has visto?

—No —repuse—. Pero me lo imagino.

—Nos llaman gamberros ideológicos.

—Por una vez, tienen razón... Es la pura verdad.

—Eso es lo que digo yo —rió—. Zascandiles, gamberros y resentidos.

El tocadiscos transmitía una musiquilla de acordeón. Una mujer bailaba sola en el centro del bar y las parejas sentadas en las mesas charlaban en la penumbra. Encarna apareció por la puerta de la trastienda y, al vernos, se acercó a estrecharnos la mano.

—Hola, queridos. —Estaba espléndida, con un traje amarillo descotado, que dejaba al desnudo sus hombros de matrona y sus brazos carnosos, robustos—. Hacía tiempo que no os dejabáis caer por aquí...

—Sí —dije yo—. Hacía tiempo.

—Me preguntaba si os había pasado algo...

—¿A nosotros? —exclamó Antonio—. ¿Por qué nos iba a ocurrir nada? ¿No ves que somos muy buenos?

—No sé —dijo Encarna—. En este país pasan cosas tan raras...

—¿Cosas? ¿Qué cosas?

—Misterios... A la gente le da, de pronto, por caminar... Mi criada, que vive en Horta, se tira cada día varios kilómetros...

—Los médicos dicen que es bueno para la salud.

—Sí —dije yo—. Es un ejercicio magnífico.

Encarna se puso un Player en su boquilla de ámbar y arrimé el encendedor.

—Me parece que vosotros andáis algo lunáticos, esta noche.

—¿Lunáticos? ¿Por qué?

—No sé... Sicalípticos... Si fuese vuestra mamá, os habría mandado a la cama...

—No tenemos sueño —dijo Antonio.

—Valiente par de pájaros estáis hechos los dos...

—Todo es obra de un puñado de agitadores, a sueldo del enemigo —expliqué—. ¿No has leído la prensa?

—No.

—Pues haces muy mal —le reprendí—. Todo español que se respete tiene el deber de leerla.

—Hala, callaos —dijo Encarna—. Estáis de mucha broma por lo que veo y me vais a poner de mala uva.

—¿De mala uva? ¿Tú?...

—Cosas que pasan... —Se acarició el pelo, gravemente—. ¿No os enterasteis de la jugada que me hicieron?

—No.

—Me han cerrado el bar durante un mes y, encima, me clavan una multa.

—No fastidies...

—Como os lo digo. —Encarna bajó la voz y miró atrás, asegurándose de que nadie la escuchaba—. Fue el día de la Concepción... Uno de esos inspectores de paisano, entró a beber un vasito de leche y, al salir, va y me denuncia a los grises.

—¿Por qué?

—¡Yo qué sé!... Por lo visto, parece que en el bar vio muchas pros-ti-tu-tas...

—¿Llevaba gafas?

—Dijo que estaba lleno. —Volvió la cabeza y contempló a las mujeres sentadas en el fondo—. Yo, no sé si debo ser idiota o qué, jamás he visto ninguna...

—Nosotros tampoco —afirmó Antonio.

—Si llevaran un número en la espalda o les colgaran un cartelito... Algo que las distinguiera, qué caray... Podría decirles: No, lo siento, en mi establecimiento no admito pros-ti-tu-tas (¿se dice así?). Pero, de otra forma, ¿cómo puedo saberlo?

—No hay manera, claro.

—Es lo que le expliqué al señor comisario (que mal rayo le parta...) Las chicas que vienen a mi establecimiento tienen una cara y dos ojos como las otras y hablan el español tan bien como usted y como yo... Yo no puedo saber si, cuando salen, en lugar de irse a dormir con la mamá, se ponen a hacer porquerías...

La llamaba un cliente, al otro lado de la barra y se alejó contoneándose. Su popa era increíblemente voluminosa, pero sabía moverla con gracia.

—¿Qué bebes?

—Lo que tú quieras. A mí, me da igual...

Antonio pidió una botella de Moriles. El bar tenía la puerta entreabierta y, acodado en la barra, espié el movimiento de la calle. Vi a un grupo de americanos borrachos, y a uno de la vigilancia, acompañado de dos policías. Otros iban del brazo con mujeres y entraron en el mueblé de al lado. Después de tantos días de agitación, me sentía hueco como una esponja y absorbía la manzanilla sin darme cuenta. Antonio había desdoblado el periódico y leía de nuevo el recuadro. Varios americanos charlaban en una mesa del fondo y uno se levantó e introdujo varias monedas en la ranura del tocadiscos. La musiquilla de acordeón cesó, reemplazada por un solo de clarinete. Alguien me tiró de la manga y me volví. Era Julia.

—Hola, gamberros —saludó (llevaba el periódico en la mano).

—Hola, resentida.

Máximo se había parado junto a la puerta y se acercó, del brazo de Encarna.

—Les estaba contando a tus amigos la faena que me han hecho...

Julia quiso saber de qué se trataba, y repitió la historia. Habíamos acabado la botella y pedí una nueva y un par de vasos.

—...Total que no me valieron coplas, y tuve que pagar la multa.

—Cuánto, si se puede saber...

—Diez mil, hija, diez mil. Aparte de lo que perdí durante el cierre. —Señaló a los americanos con la boquilla—. Si no llega a ser porque tengo todo el día a estos benditos...

Como si hubieran adivinado que hablaba de ellos, los marinos reclamaron su presencia. Encarna gritó: «Ya voy, preciosos» e hizo una mueca de disculpa.

—El de los lentes se ha enamorado de mí —susurró mientras se iba.

Al quedarnos solos, nos sentamos en la única mesa libre. Teníamos tantas cosas que decir, que no sabíamos por donde empezar y permanecimos callados, cada uno absorto en su vaso de manzanilla. Esperábamos que el alcohol nos desatara la lengua y bebíamos rápidamente, con gran aplicación. Acabada la segunda botella, pedí otras dos. La música cubría el rumor de las conversaciones, varias parejas bailaban. Julia se tiraba del flequillo con ademanes nerviosos y, cuando veía un vaso vacío, se apresuraba a llenarlo. Bebimos la tercera botella (el tiempo de tres discos) y, al atacar la cuarta, los ojos de mis amigos brillaban y sus miradas estaban como empañadas de ternura. Antonio dijo: «¡Qué gamberros somos!» y respondimos a coro: «¡Y zascandiles, y resentidos!». Habíamos perdido, de golpe, el deseo de hablar y no deseábamos más que continuar así, unos al lado de otros, como si ya no hubiéramos de vernos nunca...

Después, nuestra atención se fijó en un hombre enjuto, vestido con una guerrera de legionario, que había abierto la puerta de rondón y se había plantado en medio del bar, en actitud agresiva. De mediana edad, llevaba el pelo cortado al rape y un bigote cuadrado, lacio y caído. Por espacio de unos segundos, su mirada recorrió el público, desafiante. Finalmente se dirigió a un hueco de la barra y pidió un vaso de manzanilla.

—Bebida nacional española —proclamó.

La muchacha del bar cambió una mirada con Encarna y llenó un vaso hasta el borde. El hombre se aupaba los pantalones y escupió en el suelo. Sus ojos escudriñaban el cuerpo de la chica. Con un ademán brusco, agarró el vaso y lo vació de un tirón.

—Pónme otro, nena —dijo.

Visiblemente inquieta, Encarna vino a sentarse con nosotros. El americano de las gafas la había invitado a güisqui y se llevó el vaso a los labios, dando un suspiro.

—Los tipos esos tienen muy mala folla —susurró.

—¿Mala? ¿Por qué?

—¿No lo habéis visto?

—Es uno de nuestros gloriosos soldados —dije yo.

—De nuestros gloriosos salvadores —corrigió Julia.

—Hala, achantadla —dijo Encarna—. Como volváis a empezar os echo fuera.

—Estamos en un país libre —protestó Antonio.

—En una democracia orgánica —dijo Julia.

—Eso se lo contáis a vuestra abuelita. —Encarna vigilaba al hombre con el rabillo del ojo—. ¿Sabéis lo que me dijo el comisario cuando me llamó?

—No —contestamos todos a coro.

—Que si me cerraba el establecimiento, lo hacía por mi bien y, que encima, debía darle las gracias por la multa.

—Magnífico —exclamó Máximo—. El tipo tenía toda la razón. A Dios no le gustan las prostitutas.

Encarna amagó arrearle con la mano.

—¿Dios, dices?

—Sí.

—Valiente punto filipino está hecho tu Dios. —Se cruzó desdeñosamente de brazos e hizo una vedija de humo con el cigarrillo—. Volando por las nubes, sin enterarse de lo que pasa... «Ay, que bajo, que bajo»... Pues, ¡que baje! Ya se las cantaré bien claras, si lo agarro algún día.

La boquilla en la boca, el pelo recogido detrás de las orejas, nos observaba a nosotros —y a los demás clientes del bar— con viva reprobación. En mi vida la había visto tan imponente. Todo el furor de la humanidad ofendida parecía concentrarse en el intenso azul de sus ojos y, al coger el vaso de güisqui y vaciarlo de un trago, comprendí que era alguien a quien los agravios de la existencia llenaban de ira y que, en lugar de resignarse y olvidar como el común de los mortales, acreedora implacable, los anotaba cuidadosamente en una lista.

Habíamos acabado la manzanilla y la muchacha vino con otras dos botellas. Durante varios minutos escuchamos la música. La presencia indignada de Encarna nos dispensaba de hablar y, aunque sin confesarlo abiertamente, se lo agradecíamos. Era nuestra última reunión y, cada palabra, cada gesto, contaban. Desesperadamente, luchábamos contra la solemnidad. Antonio escribía sobre la mesa, Julia se acariciaba el pelo. Nos mirábamos en silencio y sonreíamos.

Empezaba a sentirme borracho y cerré los ojos. Las conversaciones se enmarañaban como serpientes en torno de mí. Recuerdo vagamente que Antonio cambió unas palabras con Máximo. Después, Julia me tiró de la manga y me sacudió. El legionario discutía con la muchacha y Encarna se había interpuesto y señalaba la puerta con la mano. La música impedía oír lo que decían. El hombre se desabotonó la camisa para mostrar el pecho. Mientras ella hablaba, había mirado hacia las mesas, como aguardando una reacción favorable, pero nadie se movió. Le oí gritar algo ininteligible y se marchó dando un portazo.

Encarna volvió con nosotros. Había tentado el respaldo de una silla al sentarse y se acomodaba nerviosamente el pelo.

—¿Lo habéis oído?

Máximo dijo que no.

—Quería cantar el Himno. Muy chulo él... Lo he mandado a hacer puñetas.

—¿Qué te ha dicho?

—Que venía de Ifni. Ifni de Africa. Y ¿sabéis qué le he contestado? —Encarna puso los brazos en jarras—. Pues figúrese usted, aquí donde me ve, yo vengo de Nueva York y cuando tengo ganas de cantar me aguanto. De modo que, si quiere usted armar jaleo, lárguese a otro sitio.

—¿Y la camisa? ¿Para qué la abrió?

—Para enseñar sus heridas. El pobrecito fue herido dos veces por los rojos... Quería impresionarme...

Como si hubiera adivinado que hablaban de él, el hombre empujó la puerta y se plantó en el umbral. Había comprado una botella de Moriles en el colmado de la esquina e hizo ademán de empinar el codo para beber, pero cambió de idea a la mitad y, con una voz áspera, cascada, empezó a cantar el Himno.

Fue algo extraordinario. Hacía más de doce años que no lo escuchaba (sentado en las rodillas de mi padre, cuando había desfile) y, tímidamente primero y, con decisión y de manera festiva después, los clientes del bar lo coreamos. Parecía hecho de propósito, como una prolongación de nuestras bromas de zascandiles, gamberros y resentidos. Al oírlo, Julia había comenzado a reír y sus ojos se inundaron de lágrimas. Adiós camisas, boinas; adiós escudos, mártires, luceros caídos. La angustia almacenada durante tantos días de espera se evaporaba a cada estrofa. Milagrosamente dejamos de pensar en Amadeo, olvidamos la proximidad de mi partida...

Absorto en la parodia de la canción no me di cuenta de que unos matones agarraban al legionario por los hombros, ni de que lo echaban a la calle. Cuando me recobré (la borrachera me había pasado de pronto), los clientes habían vuelto a sus mesas y, más bella y majestuosa que nunca, Encarna estaba, de nuevo, entre nosotros.

—Los españoles son de órdago —decía—. Porque han hecho la guerra, se imaginan que lo han hecho todo.

AQUI ABAJO

A mi hermano Luis

I

A primera vista era una ciudad como las otras. Indiferente, anónima, una destartalada línea de tranvía comunicaba la zona baja de la estación con el barrio más animado y comercial que se extendía hacia el flanco de la montaña. Recuerdo que hice el trayecto de pie, en la plataforma, antes de ir al Cuartel: las calles estaban trazadas con tiralíneas y ninguna vida parecía anidar en ellas; las inacabables andanas de balcones producían una inmensa sensación de vacío y soledad y, después de una breve escapada a las afueras, volví a hundirme en aquella comunidad replegada sobre sí misma, como en el estómago de un gran cuerpo amorfo, dilatado e inerte. Era precisa la estancia allí —la adaptación forzosa a una existencia provinciana y monótona—, para percibir la savia latente, bajo tanta fachada vacía. La ciudad, entonces, dejó de parecerme dormida y hueca y se transformó en un microcosmo lleno de vida. En contra de lo que podía suponerse a primera vista, cada barrio tenía un carácter original que lo diferenciaba de los otros: hilanderías y fábricas a lo largo de la carretera general, comercios y tiendas en los alrededores del Paseo, iglesias en los barrios tranquilos y acomodados y burdeles y tascas en los de los obreros. Ni siquiera faltaba un descampado a las afueras de la ciudad donde, a la buena de Dios, edificaban sus chabolas los emigrantes de Murcia y Andalucía. Pero este descubrimiento lo hice mucho más tarde y, el día de mi llegada, regresé a la estación deprimido. Había pedido destino para escapar y me sentía como en una cárcel sin rejas. La orden de incorporación no precisaba la hora y, sin decidirme todavía a ir al Cuartel, me tumbé a descansar en la playa. El cielo barruntaba tormenta y el mar se agitaba gris, desteñido. Las olas se imbricaban como escamas en el dorso de un gigantesco pez. De vez en cuando, alguna sobresalía unos segundos, lo mismo que una aleta. Recuerdo que la orilla estaba cubierta de algas y docenas de gaviotas volaban a mi alrededor, con las alas desplegadas en forma de abanico.

Desde hacía unas semanas la vida me resultaba insoportable. Había perdido la seguridad y tenía impresión de caminar como a ciegas. Hasta entonces, las cosas habían seguido una línea trazada, uniforme. Emiliano y yo nos conocíamos desde niños. A la salida de la escuela nos entreteníamos en llamar a los timbres de las casas o en romper los vidrios de los faroles. Una misma repugnancia nos unía contra lo bueno, lo ejemplar, lo ordenado. A los quince años habíamos dejado de creer en Dios y la inocencia de los otros nos daba risa. Luego, entramos juntos en la Universidad —días enteros ocupados en discutir y beber, vagabundear por las afueras o fornicar en el burdel con las putas—. Los faroles no nos molestaban ya sin que, por ello, nos sintiéramos menos agresivos. Nuestra enemiga, ahora, era abstracta y universal. Nos dejamos crecer la barba, sustituimos la corbata por la chalina. Nos divertía provocar y escandalizar. Por una frase lo hubiéramos sacrificado todo. Habíamos jurado no aburguesarnos jamás y, en las aulas, pasábamos los dos por anarquistas.

Una estancia de dos años en el extranjero que me había pagado mi padre, no enfrió siquiera nuestra amistad. Emiliano escribía poco: para pedir algún libro que no encontraba en España o, a fin de año, para felicitarme la Navidad. Pero este silencio obedecía tan sólo a su descuido y, yo mismo, tampoco me daba prisa en contestarle. Al volver, mi primer impulso fue marcar su número de teléfono. Era la hora de cenar y la conversación de mi padre me aburría. Había llegado de repente, sin avisar a nadie y me regocijaba imaginando su sorpresa. Emiliano me contestó al otro extremo del hilo. Cambié la voz, pero me reconoció inmediatamente. «¿Eres tú?», dijo. Parecía contento y exclamó: «Voy en seguida.» Lo encontré muy cambiado: sonriente, fornido, más hombre. Se había afeitado el bigote y la barba y llevaba el pelo cortado casi al rape. Bromeamos acerca de nuestras respectivas transformaciones, con el lenguaje de antes. Había una vieja complicidad entre nosotros y me esforzaba en reanimarla. Le hablé de mis lecturas, de películas, de gente que había conocido, todo un repertorio de anécdotas del género que a él le gustaba. Emiliano sonreía, escudriñándome los ojos: «¿Y aquí?», pregunté, «¿hay algo de nuevo?». «Ya lo ves», repuso. «Los tranvías han cambiado de color.» Fumaba un cigarrillo emboquillado e hizo una vedija con el humo: «Los de arriba siguen sacrificándose por el bien común y no se oye volar ni a una mosca. Cada día se inauguran pantanos e iglesias y la gente va al fútbol y a los toros.» Tenía ganas de divertirme y propuse dar una vuelta por el barrio. Dijo que estaba cansado, pero aceptó. «Si quieres, cogemos un taxi.» «No, a pata», repuso. Bajamos por las Ramblas y hablábamos como si no hubiera pasado el tiempo: muchachas, libros, historias acerca de nuestros padres... «Siempre eres el mismo», dijo sonriendo. «¿Y tú? ¿No lo eres?» «No sé, tal vez», murmuró. «Me siento algo más viejo.» Hicimos la ronda de nuestros bares y en todos nos recibían con alegría: «¿Dónde diablos estaban? ¿En la cárcel?» Me di cuenta de que Emiliano no había vuelto a parrandear desde mi partida y tuve la impresión de que mi felicidad le desagradaba. «¿No vienes por aquí, ahora?», pregunté. Contestó que no, que andaba demasiado ocupado. «¿Ocupado? ¿En qué?» Hizo un vago ademán con los brazos. «La gente que bebe por beber me asquea.» Lo dijo como con rabia y se interrumpió. Yo callaba también y, durante un trecho, caminamos los dos, en silencio. «Cuando te dije que aquí no había nada nuevo, te mentí», soltó al fin. «Ha ocurrido algo. Algo, para mí muy importante.» Y en vista de que seguía callado, continuó: «La Universidad no es la que tú conoces. La gente empieza a abrir los ojos y no ladra a la luna como antes. Hemos formado un grupo y trabajamos. No rompemos los vidrios porque sí, los rompemos en nombre de algo.» Se detuvo, acechando mi reacción, y adelantó unos cuantos nombres: Raúl, Luis, Javier, Claudia... «¿Claudia?», exclamé. «Sí, Claudia. Desde esta primavera trabaja con nosotros.» Me escudriñaba de nuevo y murmuró: «También tú, si quieres...» No le contesté y, antes de irse —habíamos llegado a casa y hacía frío— me pidió que reflexionara.

Había transcurrido un mes desde entonces y no nos habíamos vuelto a ver. En varias ocasiones comencé su número de teléfono, pero colgué el receptor, sin acabarlo. La conversión en bloque de mis amigos me cortaba del mundo y me sentía inútil y sin raíces. Una mañana, al levantarme, me afeité completamente la barba. Me encontraba ridículo con ella, y con mis greñas de pintor, y mi chalina. Mi personaje no me cuadraba ya y me deshice de él como de un traje usado. Necesitaba huir, reflexionar sobre lo que pasaba. Recordé que me faltaban las prácticas de Milicias y escribí una instancia pidiendo destino. Si en la universidad no era posible mantenerse al margen, me alojaría seis meses en un Cuartel. Durante once días bajé a las tascas del barrio, a emborracharme. La respuesta me llegó el doceavo y, la misma mañana, sin prevenir a Emiliano ni a nadie, me escapé en el primer tren.

II

Los trámites de presentación me ocuparon toda la tarde. Fui a la Sala de Oficiales, a Mando, a Caja, a Mayoría. Me acompañaba otro suboficial de Milicias y, al atravesar las dependencias del Cuartel los soldados se detenían a mirar y cuchicheaban. El coronel estaba en el patio de ejercicios: entre la carpintería y el almacén había unos jardincillos escuálidos, y vigilaba ensimismado el aliño de las plantas. Varios soldados se afanaban a su alrededor con tijeras. No me dejó hablar y nos despidió con un ademán de las manos.

«Todo el santo día está ahí», explicó el sargento. «Siempre con sus dichosas flores.» Caminamos por una avenida, entre los edificios blanqueados con cal. Anochecía y los quintos formaban para la revista de paseo. Mi compañero pasaba junto a ellos, sin mirarlos. Creo que le hice algunas preguntas sobre el Cuartel. Dijo que existía sólo desde el final de la guerra. Antes, había sido una fábrica.

—¿Una fábrica? ¿De qué?

—No sé —murmuró—. Supongo que de hilados.

Regresé a Mayoría. El teniente se había ido y encontré a un sargento de carrera bajito, rubio, de aspecto agradable. «Una buena noticia, chico», exclamó al verme. «Vas a trabajar aquí, con nosotros.» Yo daba por descontada mi incorporación a una Compañía y sonreí, desconcertado. El sargento me alargó un papel, con la orden: «Nos faltaba uno para el fichero y, al saber que venías, he ido a pedírselo al comandante.» Me golpeaba amistosamente en el hombro y le di las gracias.

—¿Y qué tengo que hacer? —dije.

—Muy poca cosa, hombre. Asomarte un chispo por ahí para que te vean y, el resto del día, libre. Tan sólo —rió— te tendrás que pelar alguna guardia.

Ordenaba los papeles sobre la mesa y le propuse beber una copa. Tras una ligera vacilación, aceptó. «Espera a que cierre», dijo. Afuera, corría un viento frío. Dimos la vuelta a Mayoría y atravesamos la plaza de armas. La cantina era un edificio de una planta, con grandes ventanales. Estaba lleno de soldados y nos acodamos en la trampa del mostrador.

«El *pater* les da unas conferencias educativas por las tardes», dijo mi compañero. «Pero es inútil, prefieren las cartas y el dominó.»

El cantinero nos trajo dos copas de coñac. Galindo —al entrar me había dicho su nombre— paladeó lentamente la suya y preguntó si tenía habitación. Hice un movimiento negativo con la cabeza.

—Me han dicho que en la Residencia ya no hay sitio.

—En mi cuarto sobra una cama. Si no encuentras otra cosa te la doy.

No me atreví a rehusar y murmuré: «Si tú no tienes inconveniente...»

—Ninguno, hombre, al contrario. La buena compañía me encanta... Es una habitación doble, con mucho sol. Y, a escote, resulta muy económica.

Insistió en que la viera. Estaba en el tercer piso y su fealdad me gustó. Galindo había dejado la estufa encendida y hacía un calorcillo agradable. «¿Qué te parece?», decía frontándose las manos. Yo miraba el rimero de libros de la mesa y repuse: «Magnífico.» Me enseñó, entonces, la vista que había sobre la plaza: el Monumento a los Caídos y el restorán. Repetí: «Magnífica» y, antes de ir a buscar la maleta a la consigna, examiné la decoración de las paredes: un crucifijo de madera y un mapa en colores del antiguo Imperio Español.

Allí no corría el riesgo de aclimatarme; la desnudez del lugar me preservaba de cualquier añagaza. Dije al chico de la Residencia que subiera a hacerme la cama, me cambié y salí afuera. Durante unos minutos erré en torno al Cuartel, a la ventura. La ciudad parecía muerta, vacía. El cielo se había rasado y el viento avivaba el brillo de las estrellas. Recorrí el paseo desierto, frente a la playa, y entré en el primer chiringuito. Unos pescadores jugaban al subastado y un viejo incubaba su borrachera, en un rincón. Encargué un vaso grande de coñac. La tramontana verberaba los cristales, y temblaba de frío. Pensaba en Emiliano, Raúl y los otros, y no sabía razonar mi huida. «¿Seré un cobarde?», me decía entre trago y trago. Y me parecía serlo, realmente, cortado el cordón umbilical que me unía a las cosas, tan injustificable y superfluo como el florero de loza que había sobre la barra —con sus rosetones dorados y sus lazos—, igualmente absurdo y privado de sentido.

No sé cuánto tiempo estuve allí ni lo que bebí. El patrón servía con expresión indiferente y, al levantarme a pagar, por la torpeza algodonosa de mis miembros, comprendí que estaba borracho. Salí y, sobre el mar, la luna brillaba como un hueso de jibia. Aletargado, bordeé la vía del tren hasta la altura de la estación y me colé en el dormitorio de Galindo, procurando no despertarle.

III

Cuando me recobré eran más de las diez. La cama de Galindo estaba deshecha y había un mensaje en la pared, atravesado por un clavo: *Te espero en Mayoría. Si necesitas algo, pídeselo al ordenanza.* Tumbado de nuevo, lo leí por segunda vez. La cabeza me pesaba y tenía el cuerpo como de corcho. El sol entraba por las rendijas de los postigos. Abrí la ventana de par en par y me froté la cara con la toalla.

Media docena de tartanas aguardaban la llegada de viajeros en la puerta de la estación. Un centinela iba y venía al otro extremo de la plaza. El viento trajo el eco de una corneta. Me vestí y afeité lo más aprisa que pude y, bordeando la pared enjalbegada del Cuartel, entré por el Cuerpo de Guardia.

En Mayoría, Galindo dictaba la lista de servicios a un soldado y, en pocas palabras, me puso al corriente del fichero. Había que verificar la exactitud de los nombres que figuraban en las cartulinas y transcribirlos después, por orden alfabético, en el cuaderno del comandante. Era un trabajo mecánico que no exigía ningún esfuerzo y copiando apellidos, edades, profesiones y quintas pasó la mañana sin que yo me diese cuenta.

Tenía la tarde libre y acepté dar una vuelta por la ciudad con los demás suboficiales de Milicias. Eran seis —tres peritos, dos abogados y un médico— y me llevaron a comer a un fonducho, al borde de la carretera. Uno que se las daba de gracioso despachurró chistes durante toda la comida. Yo conocía de vista a otro —un matrícula de honor, alto y con gafas— y le hice preguntas respecto a los Mandos.

—No hemos caído en mal sitio —dijo—. Los hay peores.

Explicó que el coronel era un buen hombre, con menos espíritu militar que de jardinero. Vivía dominado por su mujer —una especie de hidra— y por una porrada de hijas que sólo pensaban en casarse.

—Todo el día arriba y abajo por el Paseo. Parecen compradas en un saldo.

El hueso era el comandante y, sobre todo, un cierto capitán Bastos. Cuando estaba de servicio docenas de quintos perdían el pelo y los de Milicias ingresaban en prevención, casi sin enterarse.

—Un punto filipino, ya verás. Por menos que nada, a los pobres guripas, les pone la cara hecha un mapa.

Terciaron los otros en la conversación. Bastos tenía el carácter duro, pero no era malo. Se tomaba las cosas a pecho y se las chantaba claras hasta al mismísimo comandante.

—Cuando hubo el plante por la comida, el tío apencó con todo.

—Yo lo he visto arrear una somanta al furriel —dijo el médico— que por poco la espicha.

—Había vendido la harina, ¿no?

—No tenía más que enviarlo al calabozo.

—Está acostumbrado a las métodos de la Legión.

—No es una disculpa.

—Nadie te dice lo contrario.

—Yo prefiero cien veces al coronel —dijo el gracioso—. Por lo menos sabes a qué atenerte.

—Yo, a un gachó así lo llamo un hijo de puta.

Fuimos a tomar el café al Paseo, y contaban historias acerca del teniente-coronel, que era obeso y seguía un tratamiento para adelgazar.

—Su mujer se entiende con el capitán Ayuso —dijo el médico.

—¿Cómo lo sabes? ¿Los has visto acostados?

—Lo dice todo el mundo.

Yo ignoraba quién era el capitán y el matrícula se apresuró a informarme: «Un tío salado, ya le conocerás. Cuando las agarra no hay dios que le pare. Le he visto atizarse en una juerga más de dos litros de coñac. Siempre liado con las putas.»

—¿Putas? —dije—. ¿Es que las hay?

—Date un paseo por detrás de la parroquia y verás alguna.

—Seis casas. Para todos los gustos.

—Las de La Farola son de campeonato.

Habíamos llegado al café y nos sentamos en la terraza. Las tiendas comenzaban a abrir sus puertas y había animación en la calle. Vi pasar a un grupo de niños seminaristas con fajines azules. Muchachas endomingadas, sonrientes, bajaban y subían, cogidas del brazo.

—Todas son igual —dijo el matrícula—. Buscando un novio para casarse.

—¿Conocéis a alguna? —pregunté.

—No merece la pena. Para lo que sirven... Parece que Dios les haya dado el asunto para guardarlo con un candado. En cuanto les hablas un poco te presentan a sus padres. A la que te descuidas te enredan.

Yo no estaba tan seguro como ellos y, en tanto discutían, me entretuve en observarlas; algunas llevaban jersey muy ceñido y, al andar, contoneaban provocativamente las caderas.

—Aquí, no tenemos más que las putas.

—Las putas y las casadas.

—Lo fastidioso es que, con las casadas, tienes que darte prisa.

—Mejor que mejor —concluyó el matrícula—. Así no te hacen perder el tiempo.

Todavía charlaron durante un buen rato y cada cual hizo una enumeración de sus proezas. Yo volvía a pensar en mis amigos y les escuchaba con rabia. Esperaba carta de Emiliano y me sentía furioso conmigo mismo.

—Bueno. Me voy —dije.

—¿Ahora? ¿Dónde? —me miraban todos con asombro.

—A las putas —contesté. Estaba harto.

—Aguarda un poco, qué caray. No abren hasta las cinco.

Dije que se me daba igual, que haría antesala y, mientras pagaba las consumiciones al del bar —no tenía suelto y le había dado un billete de cien pesetas— les oí bromear a propósito de Galindo.

IV

No fui a las putas y vagabundeé por las afueras hasta la caída de la tarde. El silencio de Emiliano me humillaba y comenzaba a arrepentirme de lo brusco de mi huida. Había caído como un tonto en mis propias redes. Imaginaba la reacción de los amigos al enterarse de mi marcha y me sentía abrumado por tal acumulación de absurdos.

Recuerdo que atravesé los campos, más allá del suburbio. Apuntaban las flores en los almendros y el sol desperfilaba la montaña. Un camino de carro me guió hacia las colinas. Había una alberca en el recodo y me detuve. Un sauce desmayaba entre los bardales y caía sobre el agua, fino como una ducha. Sentado en la hierba, miraba el llano. No comprendía en absoluto qué hacía allí. Cielo y mar se confundían en una línea borrosa y me sentía solo, como en una prisión sin muros.

Al día siguiente, mi malhumor había pasado ya. Me desperté temprano —el sol no asomaba aún por la estación— y bajé a trabajar a Mayoría. Cuando llegué, Galindo charlaba con los soldados y me saludó, sorprendido. Dijo que el teniente venía mucho más tarde y que podía dormir hasta las diez. «No tenía sueño», le repuse. «A mí me ocurre lo mismo», explicó. Llevaba guerrera nueva e iba recién afeitado: «Me despierto con las gallinas y no sé quedarme en la cama.»

Tenía la mesa frente al ventanal y, mientras verificaba la exactitud de las fichas, observaba los ejercicios de los soldados. Había helado durante la noche y les veía golpear la culata del mosquetón con las manos enrojecidas. Algunos oficiales vagaban por el patio, aburridos y ociosos. De vez en cuando se dispersaban para dar nuevas órdenes y los quintos se detenían a liar un pitillo. Oí gritos, amenazas e insultos y la tropa rompió a marcar el paso. Los de la oficina se asomaron a ver. Había un hombrecillo estevado, canoso, armado con una fusta. Atravesaba el patio sin decir nada y alguien susurró: «Es el capitán Bastos.»

Durante el resto de la semana, su aparición armó el mismo ruido. Al divisarle, los oficiales se despepitaban gritando y los soldados obedecían con la rapidez de unos títeres. Empezaba a acostumbrarme a mi trabajo y, cuando estaba cansado, lo interrumpía. El teniente me dejaba completa libertad. A menudo, guardaba las fichas en el cajón y salía a pasear por el cuartel, sin rumbo fijo.

Me había familiarizado en seguida al toque de la corneta —repetido y distante, como un compás de fondo—. Las horas corrían allí de otra manera y era el único medio de pautarlas. No sabía qué hacer del tiempo. Envidiaba a los demás suboficiales —siempre atareados—, y los legajos que se apilaban sobre el escritorio de Galindo. Pensaba que un trabajo menos absurdo que el mío me distraería.

Con las manos en los bolsillos, vagaba de la Sala al Hogar y del Hogar a la Sala. Los soldados formaban hormiguillo, trecheando material para la escuela. A veces, cambiando de itinerario, me aventuraba en las compañías. Los petates estaban liados y el piso olía a lejía y a zotal. Los cuarteleros saludaban con afectada seriedad y oía cuchichear detrás de mí: «Lleva un despiste que no se aclara.» Al cabo, me cansaba de tanto andar y volvía al fichero de Mayoría.

Me parecía estar en el Cuartel desde siempre. Por la mañana escribía un centenar de nombres en el cuaderno y, al asomarme al patio, el decorado era el mismo de la víspera: los pabellones de fusiles que los soldados armaban durante el alto parodiaban las mieses de las hazas amontonadas al tresbillo; el coronel rondaba los arriates espiando el crecimiento de las plantas. Ningún cambio, ninguna esperanza de variación. Los relevos de la guardia se efectuaban con precisión cronométrica. Miraba la hora y, sin necesidad de levantar la vista, percibía el eco de sus pisadas, golpeando rítmicamente sobre el cemento.

Después de nuestra charla en el café, evitaba tropezar con los de Milicias. Me aburría darles conversación y, al verles, inventaba cualquier excusa. Una mañana saliendo del Hogar, conocí al capitán Ayuso. Era alto, bermejo, de pelo negro y ensortijado, y en medio de la guerrera entreabierta, casi oculta en el pecho velludo, llevaba colgada una medallita. «¿Eres tú el nuevo?», dijo. No me dio tiempo a responder y, mientras se alejaba, repetí varias veces la pregunta: «¿Soy? ¿Soy? ¿Quién soy?» Inclinado sobre el cuaderno del comandante, me acordé del florero —con sus lazos, adornos y rosetones— que había visto en el chiringuito.

V

Lo más difícil de soportar era la tarde. Después de comer —me había abonado a la cantina de la estación y observaba el movimiento de los trenes—, subía al dormitorio, con Galindo. Mi padre había enviado un baúl de libros y los leía con desgana mientras él hacía la siesta. Enero no había acabado aún y los días eran muy cortos. A las cinco, la luz comenzaba a huir de los cristales. Galindo volvía a trabajar a la oficina y yo me largaba a beber afuera. Una tarde, al despertarse, me había confesado que escribía poesías. «Lo hago para desahogarme, ¿comprendes? No me importa que no se publiquen. Seguramente que son muy anticuadas y haría bien en romperlas pero, cuando atravieso una crisis, o después de una caída, escribir me ayuda a remontarme. Oh, ya sé que un universitario como tú encuentra todo eso ridículo. Yo no he tenido la suerte de estudiar y sé muy poco de florituras. Escribo las cosas tal como las siento y, si mis poemas no son de los que hoy gustan, a lo menos tienen la virtud de ser sinceros...» Me los pasó antes de irse. Hablaban de Dios, el alma, el mar y los rayos de la luna. Se los devolví al día siguiente y dije: «Son muy musicales.» Galindo pareció satisfecho del elogio y, desde entonces, sonreía con complicidad culpable, como si la revelación de sus problemas anímicos —los «Señor, Señor» y los «Oh, Tú»— hubiesen creado entre nosotros un vínculo fraterno e indestructible.

Fuera —a oscuras ya— recorría incansablemente las calles. Me sentaba en la terraza de un café y veía pasar la gente: las chicas casaderas cogidas del brazo y los soldados que andaban tras ellas y que, al pasar, procuraban rozarlas con los dedos. Algunos desplegaban en la operación un verdadero alarde de facultades: con las manos sueltas, el cuerpo descoyuntado, se abrían paso entre los grupos lo mismo que muñecos, en contacto permanente con las caderas, los muslos deseados. Pensaba en lo que había dicho el matrícula: «Aquí no tenemos más que las putas» y me sentía inclinado a darle la razón. De no obtener favores de una casada, no había otra solución que el burdel —o emborracharse—. Hombres y mujeres discurrían arriba y abajo, por el Paseo, aguardando Dios sabe qué. Una atmósfera general de frustración emponzoñaba el ambiente. Parecía que todos esperasen una señal para hablarse. Pero llegaba la hora de cenar y cada cual se retiraba a su casa, indiferente.

«¿Qué se puede hacer, por las tardes?», había preguntado una vez, al del botiquín. Y me asombraba la exactitud de su respuesta: «Nada: ver, fumar, aburrirse. Si te gusta el cine, el cine. Si no, las cartas. Todo un programa, chico. Y eso sí: sedante para los nervios.»

A las pocas horas de acecho, en el café, conocía todas las caras: las hijas del coronel, la criadita de pechos puntiagudos, el coro de solteronas sin remedio. Llevaba cuenta de las veces que pasaban: una, dos, tres, cuatro. En algunas ocasiones alcanzaba hasta diez. Un par de vueltas más y era la hora de acostarse.

Decidí frecuentar el burdel. Hacía tiempo que no ponía los pies en uno y el que había en la esquina —con el farolito rojo y los tiestos de claveles—

me gustó. La sala era una habitación pequeña, recoleta, decentemente caldeada. Sentado junto a la estufa permanecía tardes enteras de palique con las mujeres. Cuando me aburría elegía, a la ventura, la más callada o, según mi humor, la más fea, y me encerraba con ella en el cuarto.

Al cabo de unos días ligué amistad con una, gorda, de pelo azabache, dientes de oro y tetas redondas y tiernas. Se llamaba Ana, era andaluza y movía muy bien el cuerpo. «Se nace puta, como se nace enfermera o bailarina», decía. «Yo estaba predestinada.» Me atraía su franqueza, la voz áspera y ruda que empleaba para hablarme: «Tú eres un cerebral, chiquito. La vida te aperrea. Te excita la idea de ir de putas y, en realidad, las mujeres te fastidian.»

—Me gusta desahogarme con ellas.

—Pero no las quieres.

—Me aburren —dije.

—Tú has nacido cansado.

Me encontraba bien en el cuarto: cama, armario, lavabo, bidé, anónimos hasta lo posible, la lámpara ceñida con una corona de papel y el viento, fuera, encarnizándose con saña en los cristales. La patrona me dejaba el tiempo que quería y, durante horas, nos quedábamos en la cama charlando. Ana hablaba con gran lucidez de su profesión. No sentía ninguna piedad hacia sí misma y juzgaba implacablemente a los hombres. Un día le pregunté si se había enamorado de alguno y me dijo que no. Había tenido siete embarazos, con amantes distintos y, las siete veces, había abortado ella sola, sin ayuda de nadie.

—¿Y al padre? ¿No se lo dijiste?

—Hay que saber apechugar con lo que nos toca —repuso—. No somos ningunas mártires.

Yo tentaba su vientre duro, todavía aceptable después de las fatigas y los años y pensaba en el número de hombres que debían haber pasado por él.

—¿No te arrepientes, ahora? —dije con una sonrisa.

—¿Arrepentirme? ¿De qué?

—De no haber guardado algún hijo.

Ana me miró como si desbarrara:

—Sé lo que me hago, rey. La vida es una porquería.

Los jueves tenía la tarde libre y la llevé a pasear por las afueras. Había hazas de algarrobos después de la fábrica y subimos a campo traviesa hasta las colinas. Ana estaba de excelente humor. Conocía el camino de los pueblos del otro lado de la montaña —allá donde los últimos espolones de la sierra se confundían con la llanura— y se detuvo a enseñarme el paisaje. Había llovido y la tierra olía a mojado. Del torrente ascendía el eco de hachazos, disparos de cazador furtivo. El viento orquestaba armoniosamente los rumores. Escuchamos la voz grave y melancólica de un muchacho y pasó una tartana, con tintineo de campanillas.

Al borde de la rambla, entre ribazos de cañas y juncos, se alzaba el arrabal de los murcianos. Sus habitantes trabajaban de día en la ciudad y, a la hora del cierre de las fábricas, recorrían la huerta oscuros y diminutos como hormigas. Se acercaba la hora de cenar y, en la puerta de las chabolas, ardían varias fogatas. Una parva de niños brincaban alrededor igual que diablejos. Ana señaló a un grupo de mujeres que hacían rancho aparte: «Las que están de pie son de mi pueblo. Algunas son familia mía.»

Yo pensaba aún en Emiliano y los otros: en la carta que nunca llegaba y en la que yo no escribía. Muchas veces, después de beber o discutir, habíamos vagado los dos por sitios semejantes. «Hay que provocar», decía Emiliano. «Hacer de cada palabra un atentado. Aniquilar la poesía.» Contemplé a Ana, sin maquillaje y con los mofletes enrojecidos por el viento, y la expresión inocente, y como satisfecha, de sus labios me llenó de furor.

—¿Por qué sonríes? —dije.

Pillada de sorpresa, vaciló unos segundos antes de contestarme.

—No sé —murmuró—. Por nada.

Estaba sentada en el suelo y le levanté las faldas bruscamente.

—¿A qué crees que hemos venido?

Dejó que la poseyera sin protestar. Las sienes me punzaban de rabia y, sólo al vestirme, reparé en que seguíamos al borde del camino. Unas perdices pasaron volando sobre nosotros. Rodó un canto por la ladera y oí un rumor de pasos precipitados. Entumido todavía, me incorporé a ver. La oscuridad protegía el anonimato del mirón pero su silueta, visible, mientras huía, en la milagrosa fosforescencia del aire, me hizo pensar —y era absurdo— que había sido Galindo.

VI

Días después hice mi primera guardia. Con casco de cartón y subfusil participé en la ceremonia del relevo y, tras los saludos de rigor, me instalé en la Sala de suboficiales. El sargento saliente había dejado un estadillo con el inventario de los muebles y, sin saber qué hacer del tiempo, me entretuve en repasarlo.

Escritorio	1
Diván	1
Perchero	1
Retrato Su Excelencia	1
Sillón mimbre	4
Sillón tapizado	1

La lista ocupaba una doble página. El ordenanza se había sentado a mi lado y me observaba con ironía. «To es fachada, mi sargento. Na de lo que hay aquí vale un chavo.» Era un mozo cenceño, de pelo híspido y ojos centelleantes, muy negros. Señaló los brazos del sillón, con la quemadura de las colillas, y el suelo cubierto de papelotes y escupitajos. «Nadie diría que lo he baldeao y fregao esta mañana mismamente que un espejo; que hasta los ceniceros brillaban como el oro. Y ya ve usté. De na sirve que uno se despestañe en cumplir. Encima vienen con que si la culpa es de mi menda... La tierra se los tragara a tós.»

Interrumpió su ademán de cólera a la mitad. Llevaba una colilla apagada en la comisura de los labios y la encendió con el chisquero: «Bueno, ya lo sabe. Si necesita algo, me llama.» Sin que me diese cuenta había entrado un suboficial de carrera y se apartó para darle paso. «¿Ordena usté algo más, mi sargento?» Dije que no y, a través de los cristales, le vi cruzar el jardín en dirección a la Plana.

—Fila mucho con él —dijo el recién venido—. Es un mal barco.

—¿Quién?

—Gonzalo. El ordenanza.

—¿Por qué?

—Si no se le está todo el día encima no da golpe.

—No parece mal chico.

—En mi vida he topado con rácano más grande.

Como yo no respondía dijo que los de Milicias éramos unos despistados y que la tropa se aprovechaba de nosotros y nos tomaba el pelo a la espalda: «Es que parece que vengáis del Paraguay. El rubio aquel del botiquín no sabe siquiera llevar el paso.»

Habían entrado dos sargentos y un brigada calvo y mediaron en la conversación. El más viejo explicó que los de I.P.S. (1) no tenían idea de nada y que, por culpa de ellos, los profesionales debían recurrir a la violencia.

—Los soldados ven a la legua que no tenéis autoridad sobre ellos y se desmandan.

—Cada vez que entro de semana después de uno de vosotros ¡menuda faena!

—Es que los enviciáis. Y todo el empeño y paciencia de uno, al carajo.

Intervine para decirles que tenían razón y que era absurdo que, por el simple hecho de podernos pagar una carrera, no cumpliésemos servicio ordinario, como los otros. Con gran sorpresa mía ninguno comentó mis palabras. El brigada se limitó a carraspear varias veces, y los sargentos agarraron el tablero de ajedrez y comenzaron a jugar una partida, como si no las hubiesen escuchado.

La Sala se fue llenando poco a poco y se formó un vaho espeso en la ventana. Retrepados en sus asientos, mis compañeros fumaban y discutían. Oí hablar de fútbol y cine, de dietas y ascensos militares. Clavado en la pared el retrato en colores de Su Excelencia parecía presidir aquella cháchara. Galindo entró unos segundos y se excusó por su prisa. «Tengo una conferencia con el *pater*», dijo. «Nos veremos con más calma mañana.» Luego saqué a pasear a los presos y devolví las llaves al oficial. Cuando regresé, la Sala estaba vacía. La radio transmitía una canción de Marchena y encontré a Gonzalo con la oreja pegada al aparato.

—¡Vaya tío grande! —exclamó—. ¿Le gusta a usté, mi sargento?

Dije que sí y sus ojos chispearon de alegría. Durante su ausencia, se había puesto un mono recién lavado y alpargatas de esparto anudadas con cintas negras.

---

(1) Instrucción Preliminar Superior, denominación de las Milicias Universitarias.

—He abierto la ventana un ratico pa quitar el olor, ¿comprende?

No comprendía y dije:

—¿Olor? ¿Qué olor?

—Caray —sonreía—. ¿No lo percibe usté?

Se arrimó a mi oído y dijo unas palabras a media voz. Señalaba, al mismo tiempo, las siluetas desleídas en la penumbra del jardín y descubrí —divertido— al fin, de qué clase de olor hablaba.

—En mi tierra cuando los vemos tocamos madera.

—¿Sí? —Y no pude evitar sonreírme también.

—No nos gustan los uniformes, mi sargento.

—¿De dónde eres?

—De Sorbas. Allá por Almería.

—No todos tus paisanos piensan como tú —le solté.

—No —reconoció—. ¡Que mal rayo les parta!

Durante la fajina permanecí en el Cuerpo de Guardia. El oficial asistía a la distribución del rancho en los comedores y me senté en el banco del zaguán con los centinelas. El cabo presentó la novedad del relevo, por la calle pasó un grupo de muchachas. Gonzalo había ido a buscar la cena a la estación y regresó antes de las nueve con la bandeja. Los centinelas salientes extendían las mantas para dormir; otros, llevaban la gaveta al calabozo. Mientras comía, la Banda ejecutó una retreta floreada. Los sargentos subieron a pasar lista a las Compañías. Oí un batiburrillo de pasos y de voces y se cerró el portalón de TODO POR LA PATRIA.

Me quedé a leer junto a la estufa. Después del toque de silencio, la vida había cesado bruscamente en el Cuartel y sólo se oía el cuchicheo de los centinelas sentados en el banco. El vaho empañaba los vidrios de nuevo y los froté para ver. Fuera, los árboles desnudos del Paseo cimbreaban sus ramas con ademanes suplicantes. Los jardincillos del coronel parecían más escuálidos que nunca. Brillaba la luna como un ojo de buey y el cielo había vuelto a rasarse.

VII

Me desperté lleno de sobresalto. Me había quedado dormido frente a la estufa y tenía la pernera del pantalón chamuscada. El reloj marcaba las dos menos diez. Por la vidriera trasví la silueta de un soldado cruzando los arriates del jardín. Los centinelas cuchicheaban en el zaguán y se percibía, en sordina, el rasgueo de una guitarra.

—Mi sargento —el cabo se había quitado el casco y aguardaba, firme, en el umbral de la puerta—, el capitán Ayuso le llama.

—¿Dónde?

—Está en la Sala de Oficiales, con el teniente. —Debió leer alguna inquietud en mi rostro, pues se apresuró a añadir—: Han armao una trapatiesta de órdigo. Guitarras, coñac, puros, qué sé yo... Desde las doce que andan liaos.

—¿Quién canta? —pregunté.

—No sé —repuso—. Me barrunto que uno de los gitanos de la Séptima. El Libra tié mucho apaño.

No dijo más y le seguí. En el portal los centinelas formaban corro esperando el momento de relevar a sus compañeros y se daban cachetadas en los hombros para combatir el frío. Me miraban, somnolientos y socarrones y decían: «A ver si nos saca una botellica, mi sargento.» «Un chisguete na más.» «Recuérdese usté de nosotros.» Yo me frotaba las manos también y, mientras abrochaba los botones del tabardo, insistieron todavía: «Denos usté de prajar.» «Habla en castellano, que te entienda.» «Ya me entiende.» «Empáquetelo usté, mi sargento.» «Que te empaquete a ti.» «Está majara perdío...»

Atravesamos el despacho del oficial de guardia y el cabo golpeó con los nudillos en la puerta. «Pasad, adelante», dijeron varias voces. Dentro, un soldado tocaba sentado en una silla y otro con facha de gitano palmeaba y movía graciosamente las caderas. Dos alféreces de Milicias coreaban la letra de la canción. El oficial bebía repantigado en el sofá. Ayuso se atusaba las guías del bigote y apuró de un trago su manzanilla.

—¿Ordenaba usted algo?

—Sí, claro que sí. —El capitán reía, con los pulgares apoyados en la correa del cinturón, mostrando una doble hilera de dientes regulares y fieros—. Por ahí cuentan las malas lenguas que te gusta el trago y el mujerío. —Me miraba taimadamente a los ojos y tuve que afirmar con la cabeza—. Pues choca estos cinco, hala, que no hay por qué avergonzarse de eso. Al hombre se le conoce en los detalles. Y tú me caíste bien desde el primer día.

Los soldados se habían interrumpido mientras hablaba y, a una señal suya volvieron a empezar.

Trin Trin Trin
con el jaleo del tren...

Cogí la botella de manzanilla y me serví. Después de diez horas de guardia me sentía amodorrado, con la cabeza completamente hueca. El cabo se había quedado plantado junto a la entrada y el capitán le dio una botella para sus compañeros. «No la soples tú solo, ¿eh? Como mañana te vea hecho un zaque, te mato.» El cabo se eclipsó inmediatamente con el botín. Los alféreces soltaron una carcajada. Yo reía también sin saber por qué y oí decir a Ayuso: «Siempre está a la que cae. Es un chaval muy majo.»

Tenía sed y bebí varias manzanillas. Los soldados seguían dándole a la canción,

Trin Trin Trin
que llega ya el revisor...

mientras que los alféreces marcaban el ritmo con las palmas. Ayuso me miraba con ojos brillantes y preguntó si iba a menudo al burdel: «Me han dicho que se te ve en La Farola por las tardes.» Dije que sí y me aconsejó las muchachas de la casa vecina: «Hay una, rubia ella, con los pechos más tiesos que la Giralda, que es una verdadera leona.» Explicó que andaban liados desde hacía más de un año y ella jamás había querido aceptar su dinero.

—¿De quién habláis? —dijo el oficial—. ¿De la Malenkowa?

—¿De quién va a ser? —Ayuso reía desafiadoramente—. ¿Has visto alguna vez cosa tan fina?

Entre trago y trago, hizo una minuciosa descripción de sus talentos. Alta, cimbreña, corva de caderas, la Malenkowa era conocida en toda la comarca. Los alféreces aprobaban con movimientos de cabeza e, intrigado, pregunté el origen del mote.

—Estuvo en Rusia —dijo el capitán—. Tenía dieciocho años cuando la Cruzada y se enroló en la División, de enfermera.

—Me gustaría saber quién se la calzaba, entonces —dijo el oficial.

—No sé, cualquiera. Ninguno de nosotros templaba excesivas gaitas.

—¿Y usted? ¿No tropezó con ella nunca?

—Estábamos en distintos frentes —contestó Ayuso— y, la verdad, aunque hubiéramos coincidido en el mismo, tampoco habría podido darle el trato que merecía. Mujeres no faltaban por allí y este servidor de ustedes andaba demasiado ocupado en lidiar a las ucranianas.

El alférez médico descorchó otra botella y todos rompieron a hablar de la División Azul. El capitán contó que había permanecido treinta meses en Rusia: dos inviernos con temperaturas de veintitantos grados bajo cero. En su sector, la lucha había sido durísima. Su Batallón perdió en un año el sesenta por cien de los efectivos y él mismo fue hospitalizado varias veces con heridas de metralla. En una ocasión estuvieron copados seis días. Cuando los liberaron habían agotado la munición y los alemanes les dieron la Cruz de Hierro.

El oficial volvió a llevar la conversación a las ucranianas. ¿Qué tal se les habían dado? ¿Fácilmente? ¿O hacían muchos remilgos?

Ayuso dijo que, a juzgar por su experiencia, todas se ponían a alcance de tiro. La mayor parte de los maridos estaban fuera —presos, o luchando del otro lado— y los españoles se encargaban de consolarlas. Al llegar a su destino, el comandante —un tronco de hombre, asturiano de cepa, de casi dos metros de alto—, les había soltado una arenga: «Muchachos, que no llegue a mis oídos que alguno de vosotros ha cometido un solo acto de violencia o de pillaje. Hemos venido a liberar este país de los bolcheviques y hay que fraternizar con sus habitantes. Pero, eso sí, si las mujeres os buscan, dadles cumplidamente lo que os piden. Demostrad que los tenéis en su sitio. España os ha enviado aquí en representación suya y hay que dejar bien alto el nombre de la patria...»

—Sí, señó. Esto es hablá —dijo el gitano—. Con un tío así me iba yo, vamos ¡que hasta la Cochinchina!

Se había puesto de pie, como poseso y hubo baraúnda de risas. Yo empezaba a sentirme seriamente bebido. Había oído tocar las horas en el reloj y pensaba que a las seis tenía que levantarme. El capitán enhebraba una historia con otra, sin compartir mi prisa. Se había quitado la guerrera a causa del calor y se enjugaba el sudor de la frente con el pañuelo.

—Los alemanes serán buenos soldados, disciplinados como nadie pero, del asunto, cero. Se les importa una higa si a sus mujeres les da por buscarte cuento y, a la que te descuidas, te obligan casi a dormir con ellas. Parece que tengan sangre de horchata.

Quiso saber si conocía su historia con la viuda y repuse que no. «Escucha, entonces. Es algo magnífico.» Habíamos hecho círculo a su alrededor y aguardó a que hubiera silencio para contarla: la viuda le había pedido un sombrero mientras jodía con ella y, al día siguiente, Ayuso le compró uno con plumas, volvió a la casa, la obligó a desvestirse y, con el sombrero encasquetado hasta las orejas, la poseyó y gozó como quiso sin apiadarse de sus lágrimas.

—¡Y que tuvo usté razón! —aplaudió el gitano—. ¡La tía puta!

—Siempre aprovechándose del apuro de uno.

Estábamos todos borrachos y, al arrimarse a coger lumbre, el oficial volcó una botella. El líquido se derramó sobre la alfombra y los soldados se apresuraron a fregarlo. El oficial decía «no es nada, no es nada», pero tenía hinchadas las venas de la frente y apenas podía aguantarse de pie.

Torpemente, humedeció el pulgar y el índice en la manzanilla y garabateó una cruz en la cara.

—Suerte, suerte...

Nadie secundó su movimiento y nos miró con ojos glaucos, como velados.

—¿Qué pasa?

Ayuso se incorporó pausadamente.

—Excepto que no sabes beber, nada.

Era un buen momento para partir y dije:

—Me voy. Es el relevo.

No hubo protestas y, sin atender a las llamadas de los centinelas que esperaban en el zaguán, me tumbé en el sofá de la Sala.

VIII

Al día siguiente, Galindo cumplió su promesa. Debían ser escasamente las nueve —estaba echado en el sofá, digiriendo la manzanilla de la víspera— y, al abrir los ojos —después de unos segundos de inadvertencia—, lo encontré en medio de la habitación sonriendo—: «¿Cómo va la guardia, señor dormilón? ¿Alguna novedad en los relevos?» Me desperecé y dije que todo había ido bien. «Ayuso era Capitán de Cuartel y la rociamos con un poco de vino.» «Las guardias de Ayuso son la mar de célebres», repuso. Creí ver una chispa de contrariedad en su mirada, pero reía. «Y tú bebiste también...» «Unas copas», dije. «Para entonarte, claro.» «Estaba dormido y me mandó buscar.» Galindo se frotó animadamente las manos: «Magnífico, chico, magnífico.»

Se había sentado en uno de los sillones de mimbre y observó el matasellos de la carta que había traído el ordenanza. «Hasta ayer no supe que eras un gran viajero.» «¿Viajero?» «Los de Milicias me contaron que has vivido mucho tiempo en Francia.» «Dos años», dije. Galindo se quitó el gorro y se pasó la mano por el pelo. «¿Y qué? ¿Te gustó?» Me miraba a los ojos de modo cómplice, como incitándome a hablar. «París me agradó mucho.» «¿Más que España?» «Son dos cosas completamente distintas», repuse. «Aquí me siento en casa y allí no. Es otro estilo de vida.»

Galindo jugaba nerviosamente con la borla del gorro y se humedeció los labios con la punta de la lengua: «¿Es cierto que Francia está podrida?» Le dije que no era una fruta y pareció desconcertado. «Me contaron una vez, que había mucha libertad de costumbres. Creo que las mujeres...» Interrumpió la frase a la mitad y dije: «Es posible.» «¿Has conocido a algunas?» «Naturalmente.» «¿Y van tan ligeras de ropa como dicen?» «A veces», repuse. «Depende del calor.» Hubo una pausa y Galindo emitió una leve risa: «Tú, bromeando siempre.» Protesté, asegurándole que, en invierno, iban bien abrigadas. «No, si no me refiero a esto», contestó. «Quería saber sólo si se daban a los hombres fácilmente. Si tú mismo...» De nuevo dejó suspendida la frase y murmuré: «En todas partes cuecen habas.»

Cuando se fue, tenía un dolor de cabeza atroz. El cabo había venido a despertarme a las seis para izar bandera y, desde entonces, no me dejaron libre un minuto. El oficial se esforzaba en borrar el recuerdo de lo ocurrido la víspera y profería órdenes con voz aguda. Pedí a Gonzalo que trajera un café y me apoltroné en el sillón de orejas. La visita de Galindo me había dejado una impresión extraña. Mientras esperaba, la corneta anunció el comienzo de la instrucción. Faltaban casi cuatro horas para comer y me creía al final de la mañana.

Gonzalo volvió en seguida con el café y lo bebí lentamente. Al presentarse en la Sala, después de barrer y fregar los suelos, había enchufado la radio.

—¿Le molesta a usté, mi sargento? —dijo sentándose al lado mío.

Hice que no con la cabeza y pregunté:

—¿Y a ti? ¿Te gusta?

—Así, así —contestó—. Cuando no hay na que hacer, como que lo entretiene a uno.

—¿Por qué no lees?

—Yo no sé de letras, mi sargento —sonrió con cierto embarazo—. En mi país somos muy brutos...

—¿Por qué no aprendes, entonces? ¿No hay clases para analfabetos?

—Sí, pero no sirven para na... mucha labia y mucho sermón, que si el Hijo, que si el Padre, que si Uno, que si Trino... Fui una vez y no volví... mi menda no está pa catecismos.

—¿Quién las da? —pregunté.

—¿Quién quiere usté que las dé? —Gonzalo miró atrás para cerciorarse de que no había espías—. El *pater*, ¿no lo ha encontrao usté nunca?

—No.

—Pues que Dios le guarde a usté la vista.

No logré sonsacarle más. Los sargentos comenzaban a afluir a la Sala y otra vez hubo ronda de frases sobre ascensos, dietas y puntos. Yo no podía aguantar ya. Pedí las llaves del calabozo al oficial y saqué a pasear a los presos. Al amanecer, el cielo se había encapotado y chispeaba ligeramente. Nos refugiamos bajo el colgadizo —junto a la oficina del teniente veterinario— e hice correr un paquete de cigarrillos.

—Andad. Dad gracias al sará —exclamó un preso con la cabeza chamorra.

Había cogido el paquete para hacer la distribución él, pero los otros se lo quitaron de las manos y hubo arrebatiña. Los cigarrillos cayeron por el suelo, parecía un partido de rugby.

—Si seréis animales —dijo el cabo—, ¿no veis que hay pa to el mundo?

—Calla, hala, calla —el preso había atrapado un cigarrillo partido y vació cuidadosamente el tabaco en la palma—, que eres más malo que la tiña...

Yo les observaba sin intervenir, esperando a que se calmaran y, poco a poco, formaron anillo a mi alrededor. Había reparado en un chico moreno, de manos grandes y cuello de toro, que se había apartado de los otros durante el forcejeo y permanecía en medio del patio con los brazos cruzados, insensible a la lluvia. El de la cabeza chamorra siguió la dirección de mi mirada y rompió a reír.

—No le haga usté caso, mi sargento. Está mochales...

Uno que bizqueaba contó que soñaba todo el día en mujeres y los otros le escribían cartas de amor imitando la firma de una.

—Se las inventa el Pelao —explicó—. Les pone una miajita de perfume y un mechón de pelo y el Jerónimo se da contra la paré. ¡Eh, tú! —gritó—. Vente pa aquí. Que el sargento quié ver las cartas de tu chica...

Jerónimo se acercó, desconfiado. Tenía las facciones regulares, algo bastas, y sus ojos grises, profusamente sombreados, le daban apariencia felina.

—¿Me llamaba usté?

—Sí —contestó el bisojo por mí—. El sargento se ha enterao de lo de la gachí que te escribe y tié ganas de ver qué te cuenta...

Jerónimo tanteó los bolsillos del mono y alargó la carta. El sobre, de color rosa, llevaba escrita la dirección con letra pueblerina. Eché una ojeada a las obscenidades del Pelao y se la devolví.

—Anda, enséñale los pelos ahora —achuchó el bizco—. Que no vaya a suponer que to eso son bribias y mentiras...

Dócilmente, Jerónimo desabrochó su camisa y sacó una bolsita que llevaba colgada del cuello. Dentro había media docena de rizos y un trozo de papel con la huella en carmín de unos labios.

—¡Y que se los corta del sitio, la muy jodía! —exclamó el Pelao—. Que como el compadre siga enchiquerao algún tiempo, lo va a tener igual que las monas...

Todo reían y Jerónimo volvió a guardar las reliquias. Me miraba con candidez tan desarmante que estuve tentado de poner fin a la burla. No lo hice y, en cambio, pregunté:

—¿Cuánto tiempo llevas a la sombra?

Jerónimo amorró la cabeza y vi que su rostro se ensombrecía.

—El domingo hará dos meses, mi sargento.

—¿Y te falta mucho para cumplir?

—Sí —murmuró—. No lo sé de fijo.

Se había retraído de golpe y no insistí. Los demás continuaban dándole cuerda y, olvidando que estaba de facción, encendí un cigarrillo. Después, el sol quebró el frente de nubes y asomó un rayo desgalichado. Los presos corrieron al patio y comenzaron a jugar al fútbol. Quedé solo, con los centinelas y señalé Jerónimo al cabo.

—¿Por qué le metieron en el calabozo? ¿Qué hizo?

La corneta marcó el final de la instrucción. El muchacho se encogió de hombros.

—Nadie se lo explica, mi sargento. Era el ordenanza de oficinas y tós lo tenían bien conceptuao... Dicen que fue cosa de Galindo.

—¿Qué ocurrió? ¿Se pelearon?

—Algo debió pasar, pienso yo. Jerónimo es un buen chaval, incapaz de hacer así a una mosca... —Gonzalo había venido a buscarme, de parte del oficial, y concluyó apresuradamente—: El hecho es que un día chocaron y el teniente dio parte por escrito.

IX

No volví a ver a Ana —con quien andaba peleado desde nuestro paseo por las afueras— ni fui a visitar a la Malenkowa —como me había aconsejado Ayuso—. En el restorán de la estación había conocido a una mujer algo entrada en carnes —iba a tomar el café siempre allí, con un niño de cuatro o cinco años— y la misma tarde que salí de guardia la encontré en una bocacalle del paseo y caminamos un rato juntos.

Herminia no era exactamente guapa, pero tenía facciones regulares, labios carnosos y una mirada llena de intención, rápida y viva. Su marido era viajante de comercio. La mayor parte del año recorría España con la maleta a cuestas y Herminia se cansaba de esperarlo entre las cuatro paredes del piso. Los días se sucedían, para ella, grises y monótonos. Aunque instalada con toda clase de comodidades, no era difícil adivinar que se aburría atrozmente en la vida.

—No, si no debería quejarme. Mi marido me ofrece cuanto puede desear una mujer. En casa no falta jamás nada. Ni el detalle más pequeño. Sé que mis amigas me envidian y, lo que son las cosas, todavía no estoy satisfecha...

—Su marido anda siempre fuera y no puede darle el cariño que le pide...

—En eso tiene usted razón. Es de uno de esos temperamentos, no sé como explicárselo, la mar de frío... Cuando vuelve a casa, yo es natural, quiero estar con él y le hago caricias y mimos, y él, como si lloviera... Apaga la luz y ¡buenas noches!

—Pues no es la clase de marido que se merece usted. Yo, cuando voy con una mujer, no es por decir, me gusta dejarla bien contenta. Uno que se mete en la cama sólo para dormir no es hombre ni es nada.

—Es que es un dormilón. Siempre tiene sueño...

—Si estuviera yo en el puesto de él, vería usted cómo no se quejaba.

Hablábamos así desde el principio. Herminia era profundamente indiferente, pero me excitaba la expresión de mosca golosa con que sorbía mis palabras. Cada tarde nos reuníamos en el bar de la estación —ella, acompañada siempre por el niño—, y cambiábamos ironías acerca del marido, bajo la mirada recelosa de la hermana del cantinero.

Un día —la imagen del florero me obsesionaba y había pensado toda la noche en Emiliano y los amigos— decidí cambiar de técnica. Dije que había soñado con ella y le cogí bruscamente la mano.

—¿Ah, sí? —Herminia permaneció quieta, mirándome—. ¿Y en qué consistía el sueño?

—No me atrevo a decírselo —contesté—. A lo mejor, se molestaría.

—¿Molestarme? ¿Por qué? —Su mano temblaba ligeramente y se había ruborizado—. Hala. Dígamelo.

Callé para hacerme rogar y repetí:

—No, no me atrevo.

—Le prometo que no me enfadaré.

—Eso me lo dice usted ahora, pero luego...

—Ahora, y después.

Hice como si vacilara y repuse: «No, no.» Herminia intensificó el contacto de los dedos y me miró con ojos húmedos. «Ande. Sea usted bueno.» Acabé cediendo e inventé un cuento verde. Ella lo escuchó sin decir nada y, al concluirlo dije: «Lástima que sea sólo un sueño y no hayamos hecho todo eso juntos...» Sus ojos quedaban enfrente de los míos y brillaban como un deseo: «Sí, es una lástima.» Yo mismo había caído en mis propias redes y empezaba a tomarle gusto a la aventura: «Si usted quisiera...» Corté la frase a la mitad y Herminia bajó, avergonzada, la vista. Sentado en el suelo, Arturo jugaba a solas, absorto. La mujer del bar nos observaba ahora con reprobación manifiesta y Herminia liberó, nerviosa, la mano: «Esta noche, a las diez, pásese por casa. Encontrará la llave en la estera y habré acostado ya al niño...»

Fui a la hora que decía y me recibió, desnuda bajo la bata. La habitación matrimonial era amplia y estaba atestada de muebles. Encima de la mesita de noche había la foto de un hombre grueso, ligeramente calvo.

—¿Quién es? ¿Tu marido?

Herminia dijo que sí con la cabeza.

—Buena idea —repuse—. Me gusta que esté aquí, mirándonos.

Nos acostamos y apagó la luz. Yo agarré la perilla y la volví a encender.

—¿Qué haces?

—Quiero verte.

Tenía un hermoso cuerpo, un poco gastado. Después de joder, lo acurrucó contra el mío y habló apasionadamente: «Yo sé que soy poca cosa y que cuando cumplas los seis meses te marcharás y no volverás a acordarte de lo nuestro pero, entre tanto, quiero guardarte para mí, como si no hubiéramos de separarnos nunca. Desde mañana no iré más a la estación porque la gente murmura en seguida y hay que ser cautos. Pero tú te quedas con la llave y, las noches que esté libre, pondré en el balcón un tiesto de claveles...»

Dormimos tarde y, a la mañana, nos despertamos sobresaltados. Alguien golpeaba en la puerta con los nudillos y, oímos la voz del pequeño.

—Mamá. ¿Puedo entrar?

—Sí, entra.

Herminia me miró aterrorizada e hizo ademán de cubrirme, pero era demasiado tarde. Arturo había abierto ya la puerta del cuarto y nos observaba con cierta sorpresa. Sus ojos vivaces se posaron en su madre con calma.

—Tengo hambre.

—Sal fuera y aguarda un minuto —balbuceó Herminia—. Voy a calentarte la leche.

Al quedarnos solos, aplastó la cara contra la almohada y sollozaba convulsivamente.

—¿Por qué lo has hecho? Di. ¿Por qué lo has hecho? —Yo tampoco sabía el motivo, había querido, sin duda, vengarme oscuramente de algo, y no le contesté—. Ahora irá con el cuento a su padre y se descubrirá todo...

La consolé diciendo que a aquella edad, las cosas no tenían ninguna importancia y Arturo olvidaría al cabo de unos momentos. Pero mis palabras parecían resbalar sobre ella y Herminia enjugó las lágrimas con un pañuelo.

—Eres malo, malo... Lo arriesgo todo por ti, y así me lo pagas...

Tuve que poseerla de nuevo para reconciliarnos. Mientras me vestía, Herminia, apagada la cólera y todavía bañada en lágrimas, me echó los brazos al cuello y me besó largamente en los labios.

—Acuérdate de mirar el tiesto —dijo—. Cuando lo veas, es que tengo el marido fuera y, a la noche, puedes pasar por casa.

X

En febrero, el termómetro bajó a menos de diez grados. En el Cuartel nadie recordaba un tiempo parecido. El viento zangoloteaba las ventanas, el agua se heló en las tuberías y los jardincillos del coronel se secaron.

Desde mi mesa de Mayoría —con los pies cerca de la estufa y arropado en el tabardo— presenciaba la instrucción de la tropa. Las manos de los soldados estaban amoratadas por el frío, escuchaba sus voces burlonas gritando: «Gaseosa, cerveza fresca», y les veía brincar sobre el terreno y golpear en la caña del mosquetón para calentarse.

Continuaba apuntando nombres en la libreta. Había que registrar alrededor de seis mil fichas y tenía trabajo asegurado para cuatro o cinco meses. Nadie se preocupaba de vigilarme. Una mañana se me pegaron las sábanas en casa de Herminia y no me presenté. Esperaba una reprimenda pero, al otro día, el teniente no dijo palabra.

Comenzaba a darme cuenta de que mi empleo era ficticio y guardaba rencor a Galindo por haberlo proporcionado. Cuando me cansaba de copiar —y cada día me cansaba más aprisa— erraba de un lado a otro del Cuartel, como un papanatas. El cierzo cortaba como un cuchillo al filo de las esquinas y, con las piernas y brazos entumecidos, acababa por refugiarme en el Hogar o en la Sala de suboficiales.

Un día, en el tablón de anuncios, leí una convocatoria para la Misa y Ejercicios Espirituales de los soldados. A los sargentos se nos rogaba amablemente la asistencia y, con gran contento de Galindo, acepté acompañarle. «Escucha al *pater* mientras habla», dijo. «Es un orador fenomenal. Ha estudiado filosofía como tú y se mete al público en el bolsillo cuando le da la gana.»

La mañana siguiente fui al comedor. Estaba transformado en capilla y, al fondo, habían montado el altar sobre un tablado. La tropa ocupaba las tres naves hasta el acceso de las cocinas y la Banda de Música aguardaba, a la izquierda del oficiante. Poco después de llegar yo, aparecieron los presos del calabozo custodiados por la Guardia. Vestían monos andrajosos y sucios y, a pesar del frío, algunos llevaban alpargatas de esparto. Jerónimo iba en medio de ellos con la frente gacha y observaba, indiferente, los preparativos de la Misa.

Cuando el cura entró, me tuve que empinar para verle. Era cuadrado y bajo, con el cráneo completamente liso. En un abrir y cerrar de ojos revistió los ornamentos y, al iniciar el introito, la Banda atacó un pasacalle.

Yo estaba delante de la tropa y no podía mirar la cara de los soldados. Veía sólo a los jefes y oficiales —el teniente coronel gordo, el comandante, el capitán Bastos— y, a través de ellos, a los músicos de la Banda, al oficiante y a los presos postrados de rodillas.

El brigada se desbrazaba con la batuta, los acólitos evolucionaban a los acordes del pasacalle y, antes del ofertorio, uno y otros se interrumpieron y el padre nos dirigió la palabra.

Dijo que Dios había dado existencia al hombre para ponerle a prueba y era sueño insensato pretender cambiar la faz del mundo. Evocó la historia efímera de los grandes imperios, condenados a la muerte y la ruina. «La vida es un soplo y, antes de que nos demos cuenta ha pasado.» Habló también de las excelsas virtudes cristianas del sacrificio y ayuno. «Estamos en Cuaresma y debemos aceptar con alegría los abrojos que el Señor nos manda.» Había que respetar y obedecer a lo que ordenaban los Jefes, que habían recibido el poder de Dios. Trazó un cuadro del español, para quien la vida es una escuela de preparación para la muerte, y concluyó recordando que la existencia del hombre había sido, era y sería siempre un continuo Valle de Lágrimas.

Nos volvió la espalda y la Banda ejecutó un aria dulzona. Arrodillados entre las bayonetas, los presos habían escuchado sin pestañear el discurso. Jerónimo parecía absorto en la contemplación de la batuta del brigada. Detrás de él, el Pelao hacía ademán de concomerse pero, al reparar en sus alpargatas deshechas, comprendí que temblaba de frío. El cura se movía suavemente a los acordes de la música y, al empezar la consagración, todo el mundo hincó la rodilla y la Banda tocó la Marcha Real.

La presencia compacta de la tropa no lograba caldear el ambiente y, al incorporarme, tuve un repelo de frío. Jerónimo se había dado cuenta de mi presencia y me buscaba con la mirada. Después, el cura repartió la comunión. Yo no podía apartar los ojos de los presos y, cuando la ceremonia acabó, les observé marchar entre los centinelas con inquietud. Los soldados habían evacuado el comedor y una mano rozó furtivamente la mía.

—¿Qué te ha parecido? —Galindo acechaba con ansiedad.

—Bien.

—Es un gran polemista, ¿verdad?

Dije que sí, que era un gran polemista. Sonrió:

—Tiene una cultura bárbara.

Debía ir a trabajar a Mayoría, pero no me sentía con fuerzas. El frío había calado hasta los huesos, necesitaba reanimarme. Fui al Hogar y tomé dos carajillos. El norte se colaba insidiosamente por las rendijas de la puerta y regresé a la habitación. Al poco de llegar, golpeó alguien. Pregunté quién era y contestó:

—Gonzalo.

Dije que pasase. El muchacho se acercó tímidamente y, a una señal mía, se sentó junto a la cama.

—¿Qué viento te trae?

Se rascó la cabeza, confuso. Sus ojillos oscuros brillaban.

—Verá usté, mi sargento. En mayo cumplimos los de mi quinta y me he de volver otra vez para mi tierra. —Se detuvo unos segundos para aclararse la garganta—. Allá, en Almería, no se pué vivir. Los unos arramblan con to y los otros no ven el dinero ni retratao. En casa no tenemos na... Lo que ganamos no cunde y estoy por irme a buscar los garbanzos a otro lao.

—¿Adónde?

—Por aquí. Por Cataluña.

—¿Lo sabe tu padre, eso?

—¿Cómo va a saberlo? —Gonzalo miraba fijamente la alfombra—. Si no nos escribimos...

—Deberías decírselo. Yo mismo, si quieres...

—Como usté es de Barcelona he pensao que quizá conociera un taller donde emplearme.

—¿Qué sabes hacer?

Volvió a rascarse la cabeza y contestó:

—Saber, lo que se dice saber, no se ná. Pero cuando se me encasqueta la idea de hacer algo, aprendo en seguía...

Explicó que trabajaba en el campo de pequeño y que no había tenido oportunidad de adquirir un oficio.

—¿De qué parte dijiste que eres?

—De Sorbas, mi sargento.

Me acordé de Ana y pregunté si la conocía.

—¿La de La Farola?

—Sí.

—Sí que la conozco.

—Me parece que también es de tu tierra.

—Es posible. —Sonreía, como si le hubiera pillado en falta—. Vienen muchos. Aquí se vive como en Cuba. En mi pueblo, uno se parte el espinazo trabajando y pasa más hambre que un maestro de escuela.

Prometí ocuparme de su asunto y me dormí. Al despertarme eran las cuatro menos diez. Tenía apetito y bajé a la estación a comer un bocado.

El resto de la tarde, vagabundeé por las calles. Herminia había puesto la maceta en la ventana pero estaba decidido a no ir. Su carácter, a un tiempo absorbente y pasivo, me irritaba. Cualquier nimiedad la hacía llorar y continuamente sentía deseos de herirla. El día antes había querido obligarla a pasear del brazo conmigo y me miró con terror: «Perderme, esto es lo que te propones. Que mi marido se entere de todo y me eche a la calle a patadas.» No hubo forma de convencerla y terminamos reñidos.

Evitando los lugares donde iba, varé en un café del Paseo. En las mesas del bar reconocí a un alférez de Milicias en traje de paisano. Venía de Madrid, de permiso, y me contó que había huelga.

—¿Huelga? ¿De qué?

—En la Universidad. La gente no va a clase.

El corazón me palpitaba pensando en Emiliano y los amigos, y pregunté estúpidamente:

—¿Quién la ha organizado?

—No se sabe. Dicen que un grupo de estudiantes enviaba pasquines por correo. En casa recibimos uno.

Cuando salí, nevaba ligeramente. El capitán Bastos había convocado a los sargentos de I.P.S. y fui a buscarlo al bar de Oficiales. Los reclutas debían venir al cabo de una semana, necesitaba instructores para el Campamento. Al llegar yo, hablaba con el teniente-coronel gordo y, a través de la puerta, percibí un jirón de sus frases.

—...algaradas estudiantiles.

—Reconquistaremos Marruecos.

Empujé el tirador. Discutían en el sofá, acalorados y, al verme, dijeron que volviera al día siguiente.

XI

El frío duró hasta el final de la semana. Los rumores acerca de la huelga habían ganado poco a poco el Cuartel y, por tres días consecutivos, asistí a las predicaciones del *pater*.

El domingo, en vísperas de la confesión general, elevando los brazos al cielo, pronunció un vibrante discurso. Al acabar el servicio —dijo en síntesis— los soldados de origen campesino debían desoír los cantos de sirena de las ciudades. No todo en el monte es orégano y, bajo el brillo del oro, anidaba mucha podredumbre. La cultura servía a menudo para pervertir las inteligencias. En las fábricas estarían a merced de los inventores de utopías y corrían el riesgo de faltar contra Dios y las Autoridades.

Después del examen de conciencia, los soldados se distribuyeron por Compañías, en los diferentes confesonarios. El *pater* había enumerado todos los pecados posibles y las confesiones no duraban más que unos instantes. Los últimos en desfilar fueron los del calabozo. Los centinelas vigilaban la salida con sus bayonetas y, al concluir, se celebró una misa de Acción de Gracias. La Banda interpretó música de zarzuela, el coronel recibió la comunión con su familia y, como era festivo y no había oficina, me fui a dar una vuelta por la calle.

La noche anterior había dormido en el piso de Herminia. Su marido debía llegar en el rápido de las diez y me había obligado a levantarme temprano. Pasé por debajo del balcón y no vi el tiesto. Más lejos, el Paseo estaba lleno de gente que salía de misa. Me senté en la terraza de un café y, al reconocerme, los quintos se cuadraban. La multitud discurría lentamente por la acera: parejas de novios enlazados, muchachas solas, familias. Imaginaba a Herminia muy tiesa, del brazo del marido, y me entretuve en espiar el rostro de las demás mujeres, buscando las pruebas de su engaño.

A media mañana, Gonzalo cruzó delante en traje de paseo. Desde nuestra última conversación venía a verme con frecuencia y lo encontraba por todas partes. Le hice señal de que entrara y aceptó sin hacerse rogar.

—¿Me buscabas? —le solté a boca de jarro.

Bajó, confundido, los ojos y noté que enrojecía.

—Había salío a estirar las piernas y...

—No pretenderás que has pasado por ahí de casualidad —bromeé.

—El de la Sala de Oficiales me dijo que estabas en este bar —contestó.

—¿Qué vas a tomar?

—Lo que tomes tú, sargento.

Pedí un par de vermús con tapas y, durante un minuto, estuvimos callados los dos. Luego, Gonzalo rompió de improviso el silencio:

—¿Es cierto que ligas con una casá?

Acechaba con el rabillo del ojo y pregunté:

—¿Quién te lo ha dicho?

—Lo he oído contar en el Cuartel. Hay uno de la Once que te vio entrar en su casa.

—¿Y qué?

—Pues que debes de andar con ella, me barrunto. Parece que tié buen jeme, y tú no paras mucho en tu cuarto.

—¿Cómo lo sabes?

—El de la Residencia me dijo que no te hacía la cama nunca.

Bajaba un grupo de muchachas desde el Paseo y apretó los puños.

—Lo que daría por tener una rubia así, sargento...

—¿Por qué no la buscas?

—Son unas misorreras. Les gusta mismamente que a nosotros, y lo guardan como oro en paño.

—Haz como yo —le achuché—. Espabílate en conquistar a alguna.

—Es inútil —repuso—. Tú eres rico y sabes cómo tratarlas. A nosotros no nos hacen ni caso.

Le di siete duros para ir a La Farola y, aunque era temprano, regresé hacia el Cuartel. El frío había templado un poco y el viento soplaba agradablemente. Recuerdo que caminé un rato por la playa. El mar estaba cubierto de espuma y una banda de aves se dispersó, asustada, a mi paso.

En el chiringuito me había hecho amigo de unos obreros de la hilandería. Se reunían allí por las tardes, a la salida de la fábrica y jugaba con ellos al subastado. Los encontré bebiendo del porrón, junto a la estufa.

—Eh, tú, sargento. Agarra una silla, que comenzamos.

Me hicieron sitio en medio. El que había dirigido la palabra se llamaba Sallés. Era un hombre robusto, jovial, de manos enormes. Tenía una cuarentena de años y había pasado cinco en la cárcel.

—Buen tiempo —dijo alargándome el porrón.

Me miraba burlonamente y murmuré:

—¿Bueno?

—Sí. Muy bueno. Hacía años que no conocíamos uno semejante.

—Sí, hacía años —confirmó uno con las falanges del índice y el mayor seccionadas.

—Un tiempo de primera —prosiguió Sallés—. El invierno se acaba.

—Un invierno largo.

—Veinte años —dijo Sallés—. Pronto hará veinte años.

Había caído, al fin, en el significado de sus sonrisas. Pregunté:

—¿Alguno sabe algo más de Madrid?

Sallés empinó el codo para beber. Alejaba el porrón más de medio metro y el vino se hundía dócilmente en su boca.

—El amigo Ramón escuchó ayer la radio.

Me pasó de nuevo el porrón y bebí.

—¿Y qué?

El llamado Ramón carraspeó.

—Los chicos siguen sin ir a clase.

—Esto no quiere decir nada. —Me parecía leer en sus ojos la sombra de un reproche y añadí—: No es la primera vez que ocurre.

—No. No es la primera vez.

—Al cabo de unos días la gente se cansará y todo continuará igual que estaba.

—En apariencia, puede ser – dijo Sallés—. Pero para el que, antes, se creía so' ., hay un hecho nuevo, un hecho, quizá, muy importante.

—¿Qué?

—Ha visto miles de personas hacer lo mismo que él y ya no se siente aislado.

—Mientras ellos manejen las riendas, la situación no cambiará. —Me defendía de él, como si fuera Emiliano—. Hace muchos años que se intenta organizar huelgas y todo termina en agua de borrajas.

—También los fracasos son útiles —repuso Sallés—. Dan experiencia.

—Yo creo que no se puede hacer nada.

—Siempre se puede hacer algo. Por insignificante que parezca. Algo.

Me contó que en mil novecientos cincuenta y uno habían preparado la huelga entre cinco. En la ciudad hubo paro completo y ni siquiera fueron al trabajo los funcionarios municipales.

—¿Fue por esto que te metieron en la cárcel? —pregunté.

Sallés pareció reflexionar unos momentos y me miró a los ojos con calma.

—No. No fue por esto. —Una pareja de civiles había entrado en el chiringuito y bajó la voz—. Yo ya he estado a la sombra cuatro veces. Lo mío viene de antes.

Y, sin añadir palabra, empezó a barajar las cartas.

XII

Dos días más tarde, cuando me levantaba, recibí la visita de Arturo. Venía de la mano del ordenanza y se quedó en el umbral de la puerta, mirándome.

—Mamá dize que vayaz ezta noche.

—¿Dónde?

—A caza. Papá ze ha ido.

Autoricé a marcharse al soldado y comencé a vestirme. Arturo se había sentado al borde de la cama y me observaba con curiosidad.

—¿Has venido solo?

—Zí.

—¿Y tu madre?

—Me ezpera en el café de la ezquina.

Le pregunté si le agradaban los juguetes y afirmó con la cabeza. Mientras me calentaba el agua para afeitarme, cogí las tijeras y un periódico y le hice un molinete de papel.

—¿Te gusta?

Arturo lo agarró sin decir nada y lo lanzó contra los cristales.

—¿Vuela zolo?

Me contemplaba, admirado y quiso saber si había visto su tirachinas. Dije que no.

—Me lo hizo otro zeñor de mamá. Ez muy bonito.

Al acabar, lo guié de la mano por la escalera y le di dinero para que se comprara unos bombones.

—Di a tu madre que pasaré después de las diez.

Le seguí con la vista, hasta que atravesó la plaza y me fui hacia el Cuartel. Aquella noche Galindo no había dormido conmigo. Estaba de guardia desde la tarde antes y me asomé a la Sala a darle los buenos días.

—¿Buscaba a alguien, mi sargento?

Gonzalo continuaba tratándome de usted en presencia de los otros suboficiales y se cuadró sin soltar la escoba, con cómica seriedad.

—Al sargento Galindo. ¿No está?

—Acaba de salir hace un segundo.

—Bueno; ya pasaré más tarde.

Crucé los jardincillos, camino de la oficina, cuando oí que me llamaban. Gonzalo había dejado la bayeta y la escoba y corría hacia mí resollando.

—Está en el calabozo, sargento. El maestro armero le contó lo de las cartas de Jerónimo y se puso hecho una furia. Agarró las llaves y se fue a buscarlas. Como le pesque alguna, verás si arrima candela.

Volví sobre mis pasos. Contorneando el edificio del almacén, se llegaba al patio de los presos. La puerta del calabozo estaba abierta y vi a los centinelas bajo el dintel, espiando.

—¿Qué ocurre? —dije.

—El sargento Galindo ha venido a hacer un registro, mi sargento.

Me abrí paso entre ellos. Dentro, los presos se aglomeraban en el pasillo común de las celdas. Jerónimo estaba arrodillado en el suelo. Alguien había rasgado la funda de su colchoneta, y acariciaba la paja con las manos.

—Ponte de pie.

Galindo hablaba con una voz que yo no conocía. Plantado en medio del zaguán, permanecía de espaldas a la puerta, sin verme. El cuerpo le temblaba.

—Desnúdate.

Jerónimo le miró sin inmutarse. Su rostro macizo, inexpresivo, parecía cloroformizado.

—He dicho que te desnudes.

Con dedos torpes, empezó a desabrocharse los botones del mono. Sus ojos no se apartaban de Galindo. Lentamente, estiró la ropa hacia abajo.

—El calzón.

Desató la cinta anudada a la altura de los ijares y escurrió asimismo el eslip. Al hacerlo, dejó al descubierto su abdomen, poblado de vello, y su sexo, fláccido, desamparado. Hubo un breve silencio durante el que se hizo perceptible el jadeo de Galindo.

—La camisa. También la camisa.

Jerónimo obedeció. Los demás aguardaban expectantes. Galindo había visto en seguida la bolsita que colgaba del cuello y la arrancó de un tirón. Se inclinó, ansioso, mientras vaciaba el contenido en la mano. Sus dedos desdoblaron febrilmente el papel manchado de carmín. Después, estrujando los rizos morenos, dobló la mitad superior del cuerpo hacia adelante.

—¿Qué es esto?

Jerónimo no contestó. Sus ojos grises, opacos, estaban como abiertos al vacío. Cuando Galindo repitió la pregunta movió los labios sin articular ninguna sílaba.

—No te atreves a decirlo, ¿verdad?

Se había acercado a él, como para abrazarle y Jerónimo regateó instintivamente el cuerpo. Aquello puso fuera de sí a Galindo. Apuñando, de pronto, la mano, la estrelló varias veces contra su cara.

—Gorrino. Más que gorrino...

Me tuve que interponer para sujetarle. Tenía el rostro desencajado y la mirada estrábica. Jerónimo había retrocedido hasta quedar aconchado a la pared y paseaba la vista de uno al otro, sin emoción aparente.

—Es una farsa de los otros —expliqué—. Escriben las cartas ellos y le hacen creer que las envía una muchacha.

Conseguí arrastrarle fuera. Dije al cabo que cerrara la puerta del calabozo y lo llevé del brazo hacia el almacén.

—Es una broma pesada. El no tiene la culpa.

Encendimos un cigarillo. Galindo había recuperado poco a poco su sangre fría y me habló con su voz de siempre.

—Es que es una inmundicia, chico. Una verdadera inmundicia... Ya sé que la gente es así y que no debería tomar las cosas tan a pechos. Pero no me puedo aguantar. Te juro que no puedo. Cuando veo una podredumbre de esta clase me arrebato...

Le aconsejé un poco de tolerancia en lo futuro y estuvo de acuerdo conmigo.

—Sí. Sí, tienes toda la razón. Si la falta sólo es mía. Cuestión de temperamento, chico. Si me desentendiese de todo como otros seguramente que evitaría muy malos ratos.

Acabamos bebiendo una copa en el Hogar y, cuando estuve seguro de que no iba a volver al calabozo, me largué a trabajar a Mayoría.

Pasé la tarde en el cuarto. La escena me había dejado una sensación de náusea indefinible y experimentaba una cólera sorda contra mí mismo. Me parecía flotar a la deriva, juguete de los otros, a merced de cualquier influencia extraña.

A las diez, me presenté en casa de Herminia. Su marido había ido a Valencia la noche antes y no debía regresar hasta al cabo de una semana.

—Ocho días solitos los dos —murmuró—. Promete que serás bueno conmigo.

Nos acostamos en seguida y, después de joder, me preguntó si la había añorado. Me miraba a la cara suplicante y le dije que no.

—¿Ni un poco? ¿Ni un poquito?

—Déjate de bobadas —repuse—. Tengo cosas más importantes en que ocuparme.

Apagué la luz y me ovillé contra ella, pero no conseguí dormirme hasta la madrugada.

XIII

El jueves, las cosas se complicaron. A media mañana una flota de nubes color hollín había bogado en dirección a poniente y, por unas horas, pareció que el cielo remusgaba achubascarse. En Mayoría todo estaba patas arriba y no se oía volar a una mosca. El comandante había entrado de rondón para gritar que éramos una banda de inútiles y nos quedamos a trabajar hasta las dos, bajo la mirada consternada del ayudante.

—Es cosa del coronel —aseguró luego uno de I.P.S.—. Dice que en las oficinas sobra la mitad del personal y quiere mandar a Campamento a los enchufados.

Cuando salimos, el sol brillaba como de costumbre, las últimas nubes se diluían en el azul y, tan largo como alcanzaba la vista, el cielo había vuelto a rasarse. Los soldados de oficinas me rodeaban con semblante lúgubre, querían conocer mi opinión personal sobre los rumores. Les contesté que estaba tan enterado como ellos y, cansado de aquel parloteo inútil, dije que iba con prisa y me fui a tomar un bocado.

Entraba de vigilancia por la tarde y Gonzalo me trajo la pistola a la habitación. Mientras me ayudaba a poner los correajes contó, muy excitado, que Ayuso, el alférez Villegas y otros dos catalanes habían alquilado un coche hasta Barcelona, para correrse una de sus juergas.

—Como te dejes caer por la noche en las putas, verás cómo los encuentras allí...

—¿De dónde sacan los cuartos? —pregunté—. Para alquilar un coche...

—El pequeño aquel de los lentes es muy rico —repuso—. Su padre tié a lo menos tres fábricas...

Envié las patrullas al cine y me senté en un café. La tropa no salía del Cuartel hasta las seis y nos habíamos citado en la plaza dos horas más tarde. Gonzalo se las compuso para venir conmigo. Estaba preocupado por la marcha de mis gestiones en busca de empleo y acechaba con viva inquietud el va y viene de las muchachas.

—El *pater* dijo que debíais volver a vuestra tierra —bromeé—. Las ciudades están llenas de peligros. ¿No le escuchaste?

—Me gustaría saber a qué llama peligros el tío ese —murmuró—. Seguro que no ha pasao nunca hambre...

—¿Y tú? ¿Has pasado?

Gonzalo desvió la mirada hacia el suelo.

—Los pobres la llevamos toa la vía con nosotros, sargento. De una cosa o de otra. Es casi una enfermedá. No conocemos lo que es estar hartos.

Se interrumpió avergonzado y preguntó si pensaba rondar las casas.

—¿Por qué lo quieres saber? —exclamé—. ¿Estás caliente?

—Más que un gato en enero, caray. Ya te he dicho que siempre ando con hambre.

A las seis, los cabos se presentaron en la plaza y patrullamos por el Paseo, arriba y abajo. Fui a dar la novedad al oficial y recorrí algunas tabernas. Al cruzar frente al cine vi a Herminia. Caminaba del brazo entre dos amigas y me hizo un adiós furtivo con los labios.

—¿La conoce usted, mi sargento?

Expliqué que la había encontrado un día en la cantina de la estación y desde entonces nos saludábamos.

—Dicen que se entendía con el alférez Roig —dijo el cabo—. ¿Se acuerda usted de él?

—No.

—Era uno de Milicias, un médico... Cumplió al poco de que usted entrara.

—¿Y ahora? ¿Se entiende con alguno?

—No sé —repuso—. Si no tiene al de turno se lo estará buscando.

Por la noche, después de la cena, volví a salir. Herminia había puesto la maceta en el balcón, pero pasé de largo. Su expresión de abandono en el lecho me irritaba. Era demasiado inerte para mí. Echaba de menos la brusquedad de Ana, su manera franca de decir las cosas. Fui al chiringuito, pero no encontré a Sallés. Bebí un litro de vino y subí hacia la parte alta. La mayoría de los bares estaban abiertos y en todos me detenía a tomar un trago. Comenzaba a reconocer la cara de la gente: «¿Cómo va usted, sargento? ¿Ganas de divertirse, no?» Yo decía que sí, que había ganas. Los rostros se sucedían burlones y alegres y, sin transición, me descubría en otro bar. «Que la quiere agarrar usted, vaya.» «No, no quiero.» «¿Otra copa aún?» Y de repente sentí que alguien me asía por detrás y me vi inmerso en un remolino de palmadas, felicitaciones y abrazos.

—¡Míralo!

—Precisamente hablábamos de ti.

—¿Adónde vas?

Me rodeaban todos, Ayuso, Villegas, Boix y otro que no sabía cómo se llamaba. Iban vestidos de civil y, a juzgar por su forma de hablar, también habían bebido bastante.

—Iba a dar una vuelta por ahí, mi capitán.

—Pues te vienes con nosotros.

Quise protestar, pero Villegas decía: «Es una orden. No hay peros que valgan.» Boix me había cogido del brazo y entramos en otro bar.

—Lo hemos pasado en grande, tú. En la Buena Sombra los cuatro. Las artistas para nosotros, figúrate. Los amos. Lo que se dice, los amos...

Ayuso encargó una ronda de ginebras dobles con hielo y, en medio de las risas de los otros, el pequeño explicó que, en una puesta de largo, quiso invitar a la esposa de no sé quién —una mujer de bandera, de treinta y cinco o cuarenta años— y ella había rehusado diciendo que no bailaba con criaturas.

—¿Y sabéis lo que le contesté yo? La mar de serio, delante del marido y de todos, le dije: Perdóneme usted, señora. No sabía que estaba preñada.

Villegas se atragantó con la ginebra y tuvieron que darle golpes en la espalda. El único que no reía era yo y el capitán me pasó un brazo por los hombros y me pellizcó amistosamente el cogote.

—Hala, despierta. Que la vamos a armar por ahí...

—Bébete un par de dobles y verás.

—Caray, que todos estamos colocados.

Recorrimos las calles silenciosas hacia el barrio de las putas. Ibamos cogidos del brazo y Ayuso hablaba de la guerra y la División Azul. De vez en cuando tropezábamos con algún solitario —el cuello de la chaqueta alzado y las manos hundidas en los bolsillos— que escuchaba nuestras risas, indiferente y se perdía, como una sombra, en lo oscuro. Oí tocar las doce en el reloj de la parroquia. La ciudad entera dormía. El viento bamboleaba los cables de la luz e, insensiblemente, apretamos el paso.

—¿Adónde queréis ir? ¿A La Farola?

—No hombre, no. —Hablaba Villegas—: El capitán prefiere a las de El Barquito.

Cuando llegamos, las luces estaban apagadas. El pequeño trató inútilmente de abrir el portal.

—Las doce y diez —maldito—. Ya han cerrado.

—¿Crees que no nos dejarán pasar?

—Esperad —dijo Ayuso—. Que yo me encargo.

Golpeó ruidosamente con la aldaba y, ahuecando las manos en torno a la boca, se puso a gritar.

—¡Mari! ¡Que soy yo!

Hubo una ráfaga de viento y un jirón de periódico arrancó a dar tumbos en medio de la calzada. No se oía ni un ruido, ni una voz. La luna había desaparecido momentos antes y, de trecho en trecho, las nubes filtraban desmayadamente su halo.

—¡Soy yo, Ayuso!

Dejaba caer la aldaba de nuevo y, en los patios cercanos, los perros se desencadenaron a ladrar.

—Estoy seguro de que están dentro —dijo Boix—. Si cierran a las doce, no pueden haberse largado.

—Las hubiéramos visto en la calle —dijo Villegas—. No, no han salido.

—Me cago en diez —exclamó Ayuso—. Verás si abren o no abren.

Sacudió el picador con todas sus fuerzas, sin parar de gritar, mientras los perros tejían en la noche su lastimera red de aullidos y un vecino mentaba a nuestros muertos en la extremidad de la calle.

Al fin, percibimos unos pasos cautelosos y se descorrió una mirilla.

—¿Qué hay? ¿A qué todo ese escándalo?

—Soy yo, Ayuso.

—Hemos cerrado ya.

—Pues nos abres.

Los pasos volvieron a subir la escalera y distinguimos varias voces: «Es el capitán. Ha venido el capitán.» Brincábamos sobre la acera para ahuyentar el frío y una cabeza de mujer se asomó por una de las ventanas.

—Escandalosos. ¿Qué modales son éstos?

Ayuso había hundido los pulgares en el borde del pantalón e inclinó hacia atrás la parte superior del cuerpo.

—Espera a que te agarre por mi cuenta y verás cómo callas.

Oímos por segunda vez el ruido de las pisadas y se abrió el postigo de la puerta. Entramos en el zaguán, frotándonos las manos.

—¿Te parece manera, esa, de recibir a los amigos? —dijo Ayuso a la que había corrido el cerrojo—. ¿No te da vergüenza?

—Es que eres un bruto, hijo. Vaya forma de golpear. Ni que os mataran, vamos... Luego protestan los vecinos y soy yo quien me cargo el muerto...

Era una mujer de avanzada edad —a todas luces, la patrona—, con el pelo teñido de rubio ceniza y una blusa de cuello alto que se ponía para ocultar el perigallo. Nos miraba uno tras otro fijamente y se encaró con Ayuso.

—¿A qué venís? ¿A ocuparos?

—A rezar un trisagio, leches. —El capitán le dio una cachetada en los muslos—. Hala, vamos arriba. Que ya hemos aguardado bastante.

Nos guió hasta lo alto de la escalera y pasamos a una habitación espaciosa, calentada por una estufa. No tenía muebles y tres mujeres fumaban, sentadas en el único banco. Al vernos, se pusieron de pie.

—¡Mari! ¡Tu prometido!

—*Ara vaig, nen* —gritó una voz—. *M'estic pentinant.*

Ayuso se quitó la chaqueta y dobló sobre el codo las mangas de la camisa. Tenía los brazos musculosos, muy morenos y los pasó sobre los hombros de las mujeres.

—Anda. ¿Qué se da de beber?

—Lo que queráis, hijos —repuso la dueña—. Si tenéis de qué...

—La casa es fuerte —proclamó el pequeño. Había sacado la cartera del bolsillo y enseñó varios billetes—. Trae una ginebra de marca para nosotros... Y todo lo que pidan las chicas.

Habían asomado varias más y una en combinación rosa corrió y se echó en brazos de Ayuso. Era castaña, delgada, de boca grande y ojos inmensos de color verde.

—A tus órdenes, mi capitán —dijo.

Todos reían. La Malenkowa tenía el cuerpo aún joven y apetitoso y con el pelo peinado hacia adelante, parecía una colegiala traviesa. Colgándose del cuello de él y suspendiendo las piernas, le besó largo rato en los labios.

—¡Eh, un poco para los otros! —protestó Boix.

—Aquí estamos nosotras para eso, nene —dijo una rubia—. ¿O es que las demás no somos nadie?

—Anda, besadnos también.

—Luego, rey. Cuando la hayamos remojado.

La patrona volvió con los vasos y las botellas y sirvió de beber.

—¿Ponemos un poco de música? —preguntó al pequeño—. Bajo, lo justo para entonar... Sólo por veinte duritos.

—Como si fuera por cuarenta.

—Así me gustan los hombres, flamencos... ¿Cómo dijiste que te llamabas?

—Lucas —repuso el alférez.

—Lucas... Ven. Escoge tú mismo la placa.

Desaparecieron por el fondo del corredor y, al poco, un altavoz disimulado entre las vigas del techo transmitió los primeros compases de *Mi Rival*.

Inmediatamente las mujeres que estaban en el banco se incorporaron y, haciendo vibrar el regazo de la falda y las tetas, se pusieron a corear:

Es mi pro-pio co-ra-zón
trai-cio-ne-ro
trai-cio-ne-ro...

Yo me servía automáticamente de beber. La Malenkowa se había sentado en las rodillas de Ayuso y vi que el capitán la desnudaba. Una de las mujeres se arrimó para besarme y, estirando la cremallera de su falda, intenté desvestirla también. Hubo un momento de confusión durante el que todos forcejeamos. La dueña venía por el pasillo del brazo de Lucas y, vanamente, se esforzó en hacerse oír.

—Seriedad, niñas... Un poco de seriedad.

Como presas de histeria colectiva, las mujeres habían comenzado a sacarse la ropa mientras Ayuso desabrochaba el cinturón, se lo quitaba y, blandiéndolo en el aire como un domador de circo, lo hacía chasquear con un sonido seco, cortante.

—¡A formar! —gritó—. ¡Todas a formar!

Las mujeres se agruparon en cueros frente a él, botando excitadamente sobre los pies y restregándose unas contra otras para calentarse.

—Tú, Villegas. Corrige la alineación.

El alférez tenía el rostro encendido y los ojos inyectados en sangre. Agarró la botella de ginebra por el gollete y se atizó un trago.

—Ya voy... Un momento.

Se metió en medio de ellas, tambaleándose y les daba golpecitos en el culo.

—Marcialidad, vamos... ¿Qué manera de formar es ésa?... Cabeza alta. Pies en escuadra. Pechos salidos... Que cada una vea sólo la nuca del compañero de delante.

Ayuso seguía descargando zurriagazos con porte fiero y las mujeres le observaban inmóviles, hipnotizadas.

—¡Chicas! —gritó de pronto—. ¿Venís a Rusia?

Un sí unánime se elevó de sus gargantas. La patrona y Lucas se habían dejado caer en el banco, doblados de risa y cogí la botella que había soltado Villegas.

—¡Hala! ¡A desfilar!

Desde mi rincón las vi arrancar al paso, dóciles al látigo del capitán. Al llegar a la pared daban la vuelta y venían hacia nosotros moviendo los brazos, ahuecando el pecho. Yo bebía directamente a caño. Me sentía incapaz del menor esfuerzo de reflexión y reía sin poder dominar los nervios.

El desfile duró un minuto o dos. Luego —con una rapidez que sorprendió a todos— Villegas se adelantó hasta la Malenkowa agitando algo entre las manos y se inclinó sobre sus tetas. Fue un segundo tan sólo, pero ella pegó un grito muy fuerte. Tuve un ramalazo de miedo y me precipité a mirar, con los otros.

El alférez le había condecorado el seno derecho, hundiéndole profundamente la aguja en la carne y un hilillo rojo oscuro rodaba por la piel, vientre abajo. La Malenkowa tenía el rostro descompuesto. Su cuerpo parecía más blanco que nunca y yo no podía apartar los ojos de la medalla.

—¡Me la ha clavado!... ¡El hijoputa! ¡Me la ha clavado!

La escena se transformó en un guiñol. Las mujeres daban chillidos, vengándose de su sumisión de antes y, con cara de no comprender, Villegas juraba que no había querido hacer daño.

—¡No es nada! ¡Un rasguño! —decía la patrona—. ¡A ver si dejáis de lloriquear, repuñeta!

Acompañaron a la Malenkowa a una de las habitaciones del corredor. Una con el pelo teñido propuso llevarla al dispensario.

—¡Ni dispensario, ni hostias!... Os digo que es un rasguño. No quiero líos aquí. Poned un disco, anda...

Cuando me di cuenta estaba en la esquina de la calle, vomitando. El espectáculo de la medalla en el pecho desnudo y la viscosidad de la sangre había sido superior a mis fuerzas. Caminé de prisa, temiendo que los demás me alcanzasen y, al llegar a la Residencia, junto al lecho de Galindo dormido, me encontré con una carta.

No la abrí hasta el día siguiente, cuando me desperté. Era de Claudia y decía solamente: *Han detenido a Emiliano.*

XIV

Fue una resaca terrible. El cráneo me pesaba como un casquete de hierro y, al intentar ponerme de pie, todo comenzó a dar vueltas y las piernas me fallaron. Me dejé caer sobre la cama, de bruces.

Veía el mapa del antiguo Imperio Español, el crucifijo y el rimero de libros de Galindo y me parecía vivir una pesadilla. Había leído más de veinte veces la carta de Claudia y trataba de imaginarme en vano a mi amigo detrás de las rejas, él que no podía quedarse un segundo quieto y que, cuando estaba en una habitación —en la época en que estudiábamos juntos—, paseaba como un animal enjaulado. Al mismo tiempo, me volvía a asaltar la imagen del pecho desnudo de la mujer, con la medalla y la sangre, y me entraban ganas de vomitar.

Lo absurdo de la vida que llevaba adquiría, por momentos, una consistencia casi física: era el dolor opaco que me oprimía las sienes, la indiferencia acorchada de los miembros, el obstinado amargor de la boca. Recordaba mi antigua intimidad con Emiliano y me avergonzaba de mí mismo.

Me da cuenta tardíamente de haber pasado la vida ladrando a la luna, convencido de que no había nada que hacer o de que lo que yo podía hacer no iba a servir de nada y el encarcelamiento de Emiliano y mis amigos me obligaba a admitir que, también en el mundo hueco y mentiroso en que vivimos, podían encontrarse las razones de hacer algo. Evocaba con rabia nuestra conversación del día que volví de Francia y pensaba que, si hubiera discutido con él, habría descubierto quizá la explicación de aquel cambio. Ahora Emiliano estaba en la cárcel y yo inmovilizado en el Cuartel, y debía buscarla solo, sin ayuda de nadie.

A media mañana, Gonzalo apareció en la habitación, inquieto por mi ausencia de Mayoría, y se sentó en la cabecera de la cama.

—¿Qué tienes? ¿Te has quedao dormío?

Le dije que andaba de mala leche y no quería que me molestasen. Amorró la cabeza, pero no se movió.

—El teniente pregunta por ti.

—Pues dile que espere.

—¿Qué pasó ayer? El ordenanza cuenta que los alféreces volvieron como cubas. ¿Ibas con ellos?

—Sí.

—Ya se ve. Estás amarillo como un espárrago.

—Estoy como me da la gana.

—¿Necesitas alguna cosa?

Iba a decir que no, pero cambié de opinión.

—Coge veinte duros de la cartera y vete a comprar un tubo de Alca-soda en la farmacia.

Regresó al cabo de diez minutos con el tubo y una taza de café.

—¿Quieres algo más?

—Que ahueques.

En lugar de obedecer, se sentó en la cama de Galindo.

—No, me quedaré aquí.

—Tengo sueño.

—Descansa. No te diré ná.

Me ovillé otra vez entre las sábanas y me dormí. Al despertar, el dolor de cabeza había desaparecido, el sol coronaba el tejado de la estación y Gonzalo seguía en el lecho de Galindo, en la misma posición en que lo había dejado.

—¿Qué haces?

—Te estaba mirando.

No le contesté. Me sentía muy débil aún, pero su charla no me cansaba.

—¿Verdá que tú no eres como los otros, sargento?

—¿Yo? —Me incorporé lleno de sobresalto—. ¿Qué quieres decir?

—No sé... —Gonzalo liaba un pitillo y parecía. también, algo embarazado—. Tú no nos tratas como ellos... Sin conocerte la gente te tutea...

—No he nacido para mandar —repuse.

—No es eso, sólo... La otra semana, cuando oías al cura, se veía que no estabas conforme con sus discursos. Tós los soldados de la Once se dieron cuenta.

—Me gustaría saber cómo.

—Se te notaba por el mó de callar.

—Me aburría. Tenía sueño.

—A nuestras mendas les gustaría que un día nos hablaras...

Se cortó porque había llegado Galindo. Desde la escena del calabozo apenas nos habíamos vuelto a ver y se adelantó hacia mí, frotándose las manos.

—¿Cómo va el ilustre enfermo?

Dije que había abusado un poco de la bebida, pero que iba mejor.

—Ah —exclamó—. Esto es la vida... Caer. Remontarse. Volver a caer... No hay que perder nunca el ánimo.

Yo callaba y me alargó una hoja doblada de *La Solidaridad Nacional.*

—¿Has visto lo de Marruecos?

—No.

—Es un complot. Quieren obligarnos a soltarlo.

—Lucharemos —afirmé.

—Eso es lo que pienso yo —murmuró, no muy convencido de si lo había dicho en serio o bromeando—. Además, si nos vamos, aquello sería el caos. Lee el artículo de fondo. Lo expone bien claro. Los dejaríamos a todos en la miseria.

Prometí leerlo con calma y, cuando se fue, me afeité y bajé a la estación. Uno de los soldados de Mayoría tomaba el café en la barra. Al verme, se acercó.

—Vaya una breva se ha descolgado usted, mi sargento... En la oficina no nos acordamos ya de su cara.

—¿Cómo va el teniente?

—Oh, por él no tiene usted nada que temer. Es un pedazo de pan. El hueso es el comandante. Hoy ha venido a Mayoría a lo menos seis veces. Le hemos dicho que estaba usted enfermo...

Sin que yo se lo pidiera me puso al corriente de las macutadas que corrían sobre la reducción del personal de oficinas y los planes de organización del Campamento: «Son tres semanas peligrosas para todos y, por tan pocos días, le aseguro que merece la pena cumplir. Después, el comandante, Bastos y los de su ralea se marchan con los reclutas y aquello se convertirá en un oasis, lo mismo que el año pasado.»

Viendo que yo no le daba pie, acabó por dejarme en paz. Su charla, sin embargo, me había deprimido y sentía de nuevo con violencia la vida inútil, de parásito, que llevaba. Examinaba la perspectiva de cuatro meses de ocio copiando nombres absurdos en el cuaderno, durmiendo con una mujer que no quería y emborrachándome para divertir a los oficiales, y pensaba que, en aquel mismo instante, docenas de hombres anónimos luchaban, con grave riesgo, por todos y preferían la cárcel y el miedo a renunciar, como yo, a la esperanza.

Volví a la habitación y tomé unas pastillas para dormir. El sueño no vino y permanecí tumbado varias horas con la vista fija en el techo. A las seis, el ordenanza se presentó con el niño de Herminia. Me traía una carta de su madre y jugué un rato con él. Mientras me lavaba, me enseñó su tirachinas. Le hice una pajarita de papel con el diario.

—Dile a tu madre que no me espere hoy. Dile que pasaré quizá mañana.

Le regalé un duro como la otra vez y, cansado de recibir visitas, me puse el abrigo y lo acompañé a la calle. Al caminar entre la gente me parecía salir de una larga convalecencia, como si hubiera pasado meses enteros en la cama. El aire salado del mar me desentumecía... Paseé por la playa desierta hasta las afueras y me regodeaba en insultarme. Era un modo como otro de combatir mi indiferencia, de sentirme existir, al fin. Me acordaba de la pregunta de Ayuso en el Hogar y tenía ganas de responderle: «Antes no sabía quién era y, ahora, sí. Soy eso, solamente: Mi mala leche.»

De regreso —había oscurecido ya y el mar embestía sordamente en la arena—, me asomé al chiringuito. Sallés hablaba en una mesa con sus amigos y le conté la detención de Emiliano. Me escuchó sin pestañear.

—Tu compañero no es un escéptico como tú.

—Hasta hace unos meses lo era.

—Nunca es tarde para rectificar.

Explicó que las cosas no aparecían claras a todos al mismo tiempo y que, lo que unos veían un día, otros lo comprendían sólo más tarde.

—En el año cincuenta y uno, en la fábrica, el noventa por ciento de mis camaradas creían que no había nada a pelar. Después de la huelga no hay ninguno que no esté convencido de que se puede hacer algo.

Toda la noche estuve dándole vuelta a sus palabras y, antes de dormirme, tomé una resolución. Faltaban plazas de sargento en las compañías y decidí pedir una al capitán Bastos.

XV

El día siguiente, mientras leía los periódicos en la Sala, oí pronunciar mi nombre.

—Mi sargento. —Era un soldado de Mayoría, alto y con gafas—. El comandante lo anda buscando.

—¿A mí?

—Sí. Esta mañana vino a la oficina a las nueve en punto y preguntó por qué no estaba usted allí. Desde hace unos días le ha dado por meterse con nosotros. Vaya a verle en seguida e invente cualquier excusa.

Su despacho daba al corredor del primer piso y golpeé con los nudillos antes de entrar. El comandante trajinaba unos papeles encima de la mesa. Llevaba el pelo cortado al cepillo y me miró a los ojos con calma.

—¿Es usted el sargento de la Mayoría?

Dije que lo era.

—A partir de ahora, el cabo se ocupará de su trabajo de escribiente y usted cumplirá la semana en las compañías, como los otros. Esta misma tarde, pasará a hacerse cargo de la Once. —Se detuvo un momento y añadió—: ¿Algo que alegar?

A mí me parecía vivir la prolongación del sueño y sentía un alivio infinito, como si me hubieran sacado de encima una carga.

—No, mi comandante.

Sin dejar de mirarme había cogido un bolígrafo del plumero y trazó varios círculos sobre un papel.

—Ah. Y recuerde siempre que las órdenes de un compañero no se discuten.

—Sí, mi comandante.

—Eso es cuanto tenía que decirle. Ande. Vaya usted con Dios.

Bajé las escaleras, no muy convencido aún de estar despierto —ignoraba lo que había querido indicar al recordarme que no se debían discutir las órdenes— y, al entrar en Mayoría, descubrí que todo el mundo estaba al corriente de mi desgracia. Los soldados me rodearon con cara de circunstancias y decían que el comandante era un pedazo de bruto.

—Mucho menos que otros que alardean de finos —repliqué.

Sin confesármelo, experimentaba un poco de rencor contra un destino que, al imponerme de golpe y como una obligación lo que había decidido libremente la víspera, anulaba, al mismo tiempo, mi voluntad. Me desfogué con algunas frases ácidas acerca del trabajo de oficinas y fui a tomar una cerveza al Hogar.

Encontré a los de Milicias reunidos en una mesa. Festejaban el cumpleaños del médico y me preguntaron qué había ocurrido. Cuando dije que estaba tan enterado como ellos, el del botiquín me dio una palmada en el hombro: «Esto te sucede por abusar. Si hubieras guardado las formas, como yo, continuarías en el sitio.» Los demás disimulaban mal su alegría y me compadecían de modo irónico: «Hala, hombre, no pongas esa cara. Cuatro meses transcurren en seguida.»

No hubo manera de escapar. Durante hora y media les oí discutir respecto a los problemas que implicaba el mando de una Compañía y burlarse de los sargentos de carrera y de los brigadas. «¿Sabéis qué diferencia hay entre un militar y un civil?», decía el médico. «Pues, muy sencilla. En que, mientras el civil puede llegar a militarizarse, un militar no alcanza nunca a civilizarse.» Todos reían y, estimulado por el éxito, contó la historia del chusquero y la marquesa, el chusquero y el alcalde, y el chusquero y el guardia civil. Yo había llegado ya al límite de la resistencia e hice ademán de incorporarme.

—¿Te vas? —dijo el del botiquín—. ¿Adónde?

—A una cita —afirmó el matrícula—. A ver a su casada...

Les contesté que no sabía de qué me hablaban y, al momento de irme, oí susurrar a uno: «A lo mejor se imagina que es el primero.»

Su charla me había llenado de irritación y caminé por el patio sin rumbo. Eran las doce y los presos tomaban el sol arrimados a la pared de la sastrería. Los jardineros reponían los claveles quemados por las heladas. Dando la vuelta al almacén, pasé frente a la Sala de Oficiales. Gonzalo estaba en el banco del zaguán y, muy excitado, me comunicó que mi traslado se debía a una maniobra de Galindo.

—¿Cómo lo sabes? —Habíamos salido a la calle y hablábamos a media voz.

—Me lo ha contao el cabo de Caja, que lo oyó to. El misorrero ese fue a decir al comandante que tú le faltaste al respeto en el calabozo y no hacías más que haraganear y emborracharte. Te lo juro por lo que más quieras. Pregúntaselo si crees que invento algo.

—Es absurdo. El enchufe me lo había buscado él. ¿Qué interés iba a tener en que me botaran?

—Tú eres un despistado y no te das cuenta de lo que se cocina. El tío ese es más falso que un billete de Banco. Mucho predicar y enseñar y, a la que te descuidas, puñalá trapera. No es la primera vez que lo hace.

Intenté calmarle diciendo que se me daba igual y estaba ya harto de Mayoría, pero Gonzalo pegaba con el puño en la palma de la otra mano y seguía con su sarta de maldiciones. «Un mosquita muerta, esto es lo que es. Así lo atropellase un camión y lo dejara más aplastao que un secante. Que si lo agarro por mi cuenta alguna vez, por Dios y tos los santos del cielo, que ni su madre lo reconoce...»

Fui a buscar mis cosas a la habitación. Por espacio de una semana debía dormir en la Compañía con los soldados y me alegraba tener un pretexto para desembarazarme de Galindo. Mientras Gonzalo cargaba con el colchón y las mantas, recogí los libros apilados sobre la mesa. Estaban mezclados entre sus manuales de divulgación y piedad y, al ordenarlos, descubrí una fotografía de Jerónimo. Había sido tomada durante el verano, en la playa y lo mostraba cubierto por un simple bañador, con la piel tostada por el sol y los dientes muy blancos. En medio de un grupo de amigos lucía, con orgullo infantil, sus brazos recios y su torso de atleta. La contemplé un minuto, intrigado, y la devolví a su sitio.

Pasé la tarde en la Compañía, charlando con el escribiente. Le había pedido que me pusiera al corriente de mi trabajo y me prometió toda su ayuda. A las seis salí a vagabundear por las afueras. Estaba decidido a terminar de una vez con mi pereza y mi abulia y, de vuelta al Cuartel, escribí una nota a Claudia.

Por la noche, me presenté en casa de Herminia. Tenía la maceta en el balcón y abrí el portal con mi llave. Me recibió ansiosa, desnuda bajo el batín, y la obligué a tenderse en el suelo. No quería volver a su cama ni a soportar un día más sus caricias. Cuando acabamos le dije que en adelante me quedaría a dormir en el Cuartel. En cuanto a ella, la visitaría, tal vez, unos momentos, durante el paseo de la tarde.

—¿Unos momentos? —balbuceó. Me miraba con cara de no comprender.

—Como ahora —repuse—. ¿No te basta?

XVI

El lunes estuve todo el día en la Compañía. Me había levantado a diana con los soldados y, después de instrucción y fajina, subí a descabezar una siesta.

En la pared de la habitación había una copia del horario,

Lunes	—	Revista de armamento
Martes	—	Revista de petates
Miércoles	—	Revista de aseo
Jueves	—	Revista de prendas
Viernes	—	Revista de taquillas
Sábado	—	Zafarrancho

pero el furriel se apresuró a informarme que era letra muerta y ni siquiera el capitán lo respetaba. La misma hoja precisaba que el oficial debía dar una hora de instrucción teórica y fui a pedir permiso para encargarme yo. El alférez —uno de Milicias, blanco y espigado— me miró como si me faltara algún tornillo.

—¿Tú? ¿Qué mosca te ha picado?

—Ninguna. Si no hago nada me aburro y me pongo de malhumor. Prefiero soltar discursos.

—Estás como una regadera.

Yo reía para tranquilizarle e insistí:

—¿Me autorizas?

—Por mí, encantado. Una hora menos, figúrate. Como si quieres darla todos los días.

—La daré.

—Mientras no se te escape ninguna animalada...

—No soy ningún animal —repuse.

Me acordaba de lo que había dicho Sallés: «Siempre se puede hacer algo. Por insignificante que parezca.» Algo, y decidí realizar la prueba. Al toque de instrucción reuní a los soldados frente a las taquillas. Les anuncié que el alférez me había pedido que le sustituyese y, en adelante, daría la clase yo.

—No he venido aquí a hablaros del mecanismo del mosquetón, ni de las ordenanzas del soldado, ni del ángulo de tiro —dije—. Todo eso os lo han explicado ya muchas veces y, seguramente, lo sabréis mejor que yo. Quiero que charlemos un rato, como amigos. Haré algunas preguntas y vosotros las contestaréis. Si os aburrís no tenéis más que avisarme.

Me había sentado en un taburete, en medio de ellos y aguardé a que callaran. Gonzalo me había explicado, antes, que la mayoría no sabía leer ni escribir. Llevaba una *Vanguardia* vieja en el bolsillo y la desdoblé en un editorial titulado *En el aniversario memorable.*

—Escuchad.

Lo leí despacio, con la solemne entonación que requería y, al acabar, estudié la expresión de sus caras. La impermeabilidad era absoluta. Marrulleras, taimadas, parecía que las palabras se hubieran esfumado sin dejar huella.

—¿Os gusta?

Nadie contestó. Los soldados se removían inquietos y cuchicheaban, como a la espera de una segunda parte.

—¿No lo encontráis hermoso?

No obtuve respuesta, tampoco y, pasando la página del diario, leí *Una paz firme y su Centinela.*

De nuevo pregunté si les gustaba y examiné sus caras burlonas y abstraídas pero, aunque se daban con el codo, no me contestaron.

—¿No lo encontráis hermoso? —repetí.

Y sólo capté algunas sonrisas, muecas y miradas. Sin apartar la vista de ellos, escogí una frase a la ventura: «La España de los Reyes Católicos...»

Hubo un largo silencio durante el que no se oyó respirar a nadie.

—La España de Isabel y Fernando...

Los soldados seguían al acecho de mi sonrisa. Endurecí la voz.

—¿Alguno de vosotros es de Granada?

Levantaron el brazo varios. Elegí a un pelirrojo, bajito.

—¿Quiénes son los Reyes Católicos?

Tardó unos instantes en responder, mientras consultaba a sus compañeros.

—Una calle.

—¿Una calle?

—Sí, mi sargento.

Yo leía el periódico con fingido estupor y repetí varias veces: «Los Reyes Católicos son una calle.»

—Una calle de Granada.

—De Granada...

—Una calle de mucho postín, con tranvía y to. La gente la conoce con este nombre.

—En mi pueblo hay una plaza que se llama así —dijo uno.

—En el mío también.

—Y en el mío.

La sonrisa me había salido, sin querer. Les dije que tuvieran un poco de calma.

—Las calles cambian de nombre, a veces.

Me había detenido a encender un pitillo y me aseguré de que escuchaban: «Hoy se llaman de un modo y mañana de otro. Cuando un personaje no quiere que le olviden, da su nombre a una calle. Así, al pasar por ella, o al escribir a los que allí viven, la gente lo recuerda. Pero el nombre de las calles cambia...»

—La que atraviesa mi pueblo la conocen de tres maneras —dijo el furriel.

—Quizá que, dentro de poco, la llamen de cuatro.

Su desconfianza se había disipado a medida que hablábamos y me daba cuenta de que muchos me seguían. Volví a coger el diario.

—España, patria de Loyola...

Miré alrededor y la ironía brillaba en todos los ojos.

—España, martillo de herejes.

Reían algunos, desafiando la seriedad de mi expresión.

—España, luz de Trento.

La burla degeneró en franca carcajada. Fingí un arrechucho de cólera.

—¿Podéis explicarme qué os hace tanta gracia? —Señalé al pelirrojo con la mano—. Hala, contesta.

—Nosotros no entendemos de esas cosas, mi sargento.

—¿No sabéis quién era el Gran Capitán?

—No.

—¿Ni Hernán Cortés?

—No.

—¿Ni Pizarro?

Hubo un silencio. Insistí:

—¿Ni siquiera Pizarro?

—Otra calle.

—¿Otra calle?

—Tengo un primo que vive en Francisco Pizarro.

—En mi pueblo hay una glorieta que le dicen del Gran Capitán.

—Orden. Contestad de uno en uno, sin atropellarse.

Había fumado el cigarrillo y alumbré otro.

—A ver, tú.

—¿Yo?

—Sí. ¿Cómo se llama la calle en que vives?

—Cánovas, mi sargento.

—Cánovas de qué.

—Del Castillo.

—¿Sabes quién es este señor?

—No.

—¿De verdad que no lo sabes?

—De verdá de verdá, mi sargento.

Yo no podía disimular más y reía: «De modo que no sabes quién era Cánovas del Castillo...»

—No.

—¿No te lo enseñaron en la escuela?

—Soy analfabeto, mi sargento.

El diario había escurrido entre mis manos y repetí varias veces: «También el nombre de las calles cambia.»

—Sí —dijo el furriel—. Por lo menos en mi tierra. Al terminar la guerra las rebautizaron a toas.

—Las rebautizarán aún —dije.

—¿Lo cree usté de verdá, mi sargento?

—¿Por qué no? —repuse—. Somos jóvenes. Tenemos muchos años por delante.

El furriel hizo una cruz con el índice y el pulgar y la besó.

—Que Dios le oiga a usté.

—Para que cambie la mía debería pasar algo muy gordo —dijo uno.

—Pequeño o gordo da igual.

Hubo un coro de risas y el pelirrojo decía: «Anda. Que si supiera usté como se llama...»

—No importa —contesté—. El nombre es lo de menos.

—El de esta calle, no.

—Lo mismo que el de las demás. Todos cambian. Un día también lo olvidaremos.

Cuando tocaron alto hablábamos todavía y los soldados guiñaban el ojo y bromeaban. Volví a la habitación y respiraba mejor. Mi mala leche servía para algo. Había mucho que hacer en el Cuartel y debía aprovechar bien el tiempo que me faltaba.

Gonzalo vino a la hora de Paseo. Durante la teórica había escuchado desde un rincón y entró en el cuarto con la lengua fuera.

—¿Sabes qué ha pasao?

—No.

—El cabrón de Galindo ha querido ahorcarse.

—¿Quién te lo ha dicho?

—Lo sabe to el mundo. Se intentó colgar de una viga en el almacén, pero el cinturón se le rompió. Lo encontró el cabo esta tarde...

Tartajeaba de la emoción y bajé a la Sala. Los sargentos estaban allí, de palique. Pregunté qué había ocurrido.

—Nada. Que perdió la chaveta. Un momento de locura que tuvo.

—¿Dónde está?

—En su dormitorio. El mismo fue por su propio pie. No se acuerda de nada.

Les dejé discutir respecto a los móviles y regresé a la Compañía. Con la puerta entreabierta percibía las voces de los soldados. Había apagado la luz. Me acordaba de la foto de Jerónimo y el corazón me palpitaba.

XVII

El invierno acababa al fin. Llegó marzo relativamente benigno y los días se alargaron. El cielo no tenía el mismo color de antes. Al recorrer la playa, el mar parecía inmóvil, de liso y, aunque la primavera no se columbraba todavía, el sol daba ya calor y la tramontana no soplaba.

La semana pasó volando; días enteros repitiendo los gestos de la víspera, diana, instrucción, fajina, retreta, diana otra vez. La ciudad había dejado de ser el cuerpo dilatado y amorfo que barrunté el primer día y me sentía atrapado entre sus redes. Me había acostumbrado a los cafés y fonduchos de cada barrio; a las chabolas y campos de las afueras. A los dos meses de mi llegada tenía la impresión de ser otro distinto de yo mismo. Pensaba que, dentro de poco, me podría bañar y permanecía durante horas en la playa, acechando la trayectoria de los pájaros.

En estas correrías sin rumbo, Gonzalo era mi único acompañante. Su presencia resultaba siempre ligera. Caminaba a mi lado, absorto en sus reflexiones y, de pronto, rompía a despotricar contra todo y maldecía su suerte: «Es que es la órdiga. Los buenos platos pa unos, y los otros, ni olerlos. Los españoles somos una maná de borregos. Un poquito de fútbol, flamenco, palmas y aire. Las mujeres pa los que tien de qué, y nuestras mendas, que nos parta un rayo. Me cago en la leche.»

Le escuchaba distraído y ausente, como a una música. Un amigo de mi padre había prometido colocarlo en un taller y hacía y deshacía proyectos para lo futuro, la mar de excitado: «Cuando tenga perras me compraré un reló de oro y un traje de esos cruzaos y me iré al pueblo, a patearme los cuartos y disfrutar. Los jodíos envidiosos que son tos. Por Dios y la madre, que del repeluco que les da, habrá más de dos que la espichan...»

De vuelta hacia el Cuartel, me detenía en el chiringuito a ver a Sallés. Reunidos en torno a una mesa, jugábamos al subastado, charlábamos, discutíamos. El porrón corría de mano en mano. Sus amigos nos recibían con alegría y me encontraba bien entre ellos. Una noche nos invitaron a cenar. Ramón había preparado un *suquet de peix* y, al terminar —habíamos bebido todos un poco y estábamos algo alegres—, Sallés cantó unas habaneras y los demás le coreamos.

A media semana hubo cierta agitación. Los reclutas llegaban al Regimiento con la morra esquilada y los veteranos se reían de su pinta y les gastaban las mismas bromas que, un año antes, habían sufrido ellos. En el comedor —mientras los peroleros distribuían los lebrillos con el rancho— se trataban mutuamente de pistolos y guripas, hasta hacer perder la paciencia al capitán, que envió a prevención a varios.

Aunque faltaban tres meses para licenciarse, se respiraba una atmósfera muy distinta de la que había conocido a mi venida. La plaza de armas estaba abarrotada de soldados, los instructores iban de un lado a otro como locos y, olvidando por un momento el aderezo de sus plantas, el propio coronel pegaba gritos. Una mañana vi a Ayuso al frente de los nuevos, marcando el paso con el silbato. El comandante lo había destinado al Campamento y trabajaba con un celo que no le suponía. Después del incidente con la Malenkowa evitaba encontrarse conmigo. Al pasar, volvía la cara de lado y fingía no advertir mi saludo.

El sábado organicé el zafarrancho de limpieza. A las once, mi sucesor se hacía cargo de la Compañía y yo no debía regresar al Cuartel hasta al cabo de una semana. Ordené fregar el suelo con zotal, vigilé la alineación de las tablas, comprobé que no había polvo en las taquillas. Cuando llegó el capitán todo estaba en orden y, sin detenerse a mirar de cerca, se largó sin decir nada.

Fui a cambiarme de ropa a la Residencia. A las doce había tren para Barcelona y tenía media hora para vestirme. Mientras ponía mis cosas en orden, alguien empujó la puerta del cuarto y se quedó en el umbral, confundido.

—¿Qué? ¿Preparando ya los bártulos?

Galindo iba vestido de paisano, con un traje de color gris y una corbata negra. No había vuelto a verle desde su intento de suicidio en el almacén y examiné con aprensión sus ojos glaucos, brumosos —que desmentían con claridad terrible su postiza expresión de alegría.

—Venía a decirte adiós —murmuró, después de una pausa.

—¿Adiós?

—Me voy a Africa, al Tercio. El mes pasado cursé la solicitud a Madrid y hoy han respondido. —Enseñó una hoja de papel—. Me dan una semana de plazo.

Volvió a meter la carta en el bolsillo y se humedeció los labios con la punta de la lengua.

—He pasado una mala etapa, ¿sabes? Aquí, queda mucho tiempo libre para pensar, la vida es fácil, y caes a la que te descuidas. Yo no estoy hecho para un clima así. La molicie no me va, chico. Me tomo las cosas demasiado en serio y, fíjate, acabo haciendo barbaridades.

Como yo no decía nada, explicó que el *pater* le había sido de gran ayuda y que, gracias a él, había podido salvar la crisis.

—Me gustaría que hablaras con él una vez. Estoy seguro de que haríais buenas migas. Hosco y duro como parece es todo humanidad y comprensión. No te puedes imaginar lo que ha llegado a leer. Tiene respuesta para todo. Y un corazón así de grande, chico...

Yo seguía ordenando mis cosas —eran las doce menos cuarto— y me preguntó si creía en Dios. Dije que no y añadí que, en cualquier caso, era una cuestión que no me preocupaba en absoluto. «Para mí es el problema capital», murmuró. Agitaba nerviosamente las manos y aflojó el nudo de la corbata: «Debes sufrir mucho, ¿verdad?» Le contesté que no, pero vi que no me creía. Su rostro había recuperado poco a poco su afabilidad habitual y, al despedirse, me palmeó cariñosamente en el brazo.

Gonzalo me acompañó a la estación con cara de entierro. Le dije, para consolarle, que ocho días pasaban sin darse cuenta y quedamos en vernos al otro sábado. Cuando subí al tren, me abrazó.

Mis amigos me esperaban en un bar de las Ramblas. Tres meses antes había interrumpido un diálogo a la mitad y mientras recorría el paisaje, distraído, pensaba —con una mezcla de pesar y de alivio— que no era demasiado tarde aún para reanudarlo.

INDICE